1ポンドの悲しみ

石田衣良

集英社文庫

1ポンドの悲しみ　目次

1ポンドの悲しみ

ふたりの名前

「どうして名前ってこんなにたくさんあるのかな」

ため息をつくと、柴田朝世《しばたあさよ》はサプリメントの棚で立ちどまった。ショルダーバッグからビジネス手帳を取りだし、製品名を書きとめる。アミノエナジー、健瘦美嬢、ネイチャーライン。

「朝世みたいな仕事をする人間がたくさんいるからだろ」

生ビールで頰を赤くした間山俊樹《まやまとしき》が、カートを押しながらスープ缶の角を曲がってきた。朝世は俊樹の相手をせずに水性ボールペンを走らせた。ネーミング専門のマーケティング会社で、今取り組んでいる栄養ドリンクの仕事に役立つかもしれない。いっしょに夕食をすませていたが、朝世はアルコールを口にしていなかった。

そこは恵比寿にある深夜営業のスーパーマーケットだった。金曜日の夜十二時近くになっても、昼間のように買いもの客であふれている。床の隅々まで蛍光灯の明かりで磨かれた、清潔でひどく冷房のきいた店である。客は自分たちと同じで、落ち着いた雰囲気のカップルが多かった。一般的な食材のほか、中クラスのワインと洋野菜の品ぞろえが豊富で、ふたりのいきつけのスーパーだ。そこからなら歩いて十分ほどで部屋につける。もっと近くに普通の店もあるのだが、新鮮なちりめんキャベツとベビーリーフとラディッキオがいつでも手にはいるこのスーパーが、朝世のお気にいりなのだ。

「そっちも卵と牛乳いるよな。買っておいたから」

口のなかでありがとうといって、ネイチャーラインの黄色いパッケージを手にした。長時間のIT作業による視神経の疲労と肩凝りを解消する九種類のビタミン配合、あわせて美肌効果も。朝世はカートのなかにサプリメントの箱を放りこんだ。

「また栄養剤の衝動買いか。あきないね」

洗面台にはたくさんのサプリメントが並んでいた。たいていはのみきることもなく賞味期限とともにゴミ箱いきになる。朝世はカートのなかをのぞくといった。

「自分だってお腹でるの気にしてるくせに、こんなの買って」

明日の来客用の食材のしたに、生麵《なまめん》タイプのカップラーメンが見えた。こってりトンコツ醤油味。俊樹は首をかしげた。

「あれ、いつのまにかはいってる。でもさ、酒のんだあとってラーメンくいたくならないか。ひと口あげようか」

朝世は首を横に振った。そんな習慣は二十代の終わりとともに卒業している。手帳をバッグにしまうと、レジにむかいながら考えた。サプリメントと化粧品はよく似ている。どれも効能だけ読むと素晴らしい製品に思える。だが、つかってみるまでは決して自分の身体《からだ》にあうかどうかはわからないのだ。それだけでなく、どこかに自分のためだけにつくられた特別な一品があるはずだとおかしな期待を抱かせるところまで同じだった。

俊樹は棚からひと箱取り、朝世の背中に声をかけた。

「これなんか、どうなの。たべたあとでものむだけでスリムになるんだって」

朝世は振りむいて俊樹を見た。中堅どころの商社でも最近はカジュアルフライデーが一般的だった。ダンガリーのシャツにベージュの綿パンツをあわせた金曜日の俊樹は、背が高いせいもあり、店のなかでは目立っていた。

「カロリーアウトでしょ。だめ、それぜんぜん効果ないよ」

朝世は俊樹に背をむけると、自分だけの考えにもどった。サプリメントに似ているのは、化粧品より男のほうかもしれない。三十をすぎると、化粧品はなくてはならないけれど、男はそれほどでもない。期限がくるとゴミ箱に投げたり（投げられたり）するのも同じだし、あれこれと試してみたが決定的な一品と出会っていない気がするところまでいっしょだった。

「おーい、待って」

朝世は肩越しに後方に手を振った。俊樹といっしょに暮らして一年近くになる。最初の燃えるようにたのしい数カ月がすぎて、毎日は安定していた。それでもこの生活がいつまで続くかは誰にもわからなかった。俊樹が残りの一生をともにすごすベストの相手なのか、朝世には自信がもてなかった。今はまだ見えないけれど、この恋にも賞味期限があるのかもしれない。サプリメントの箱の裏とは違い、男の背中には裸になっても恋の有効期限は印刷されていなかった。

ふたりのマンションは恵比寿西にある2LDKだった。夏のあいだはシャワーだけですませることが多く、その夜は俊樹が先にバスルームをつかった。朝世はリビングの隅にあるスタンドにだけ明かりをいれた。夜のリラックスモードの照明だ。

買いもの袋はダイニングテーブルで白く形を崩していた。朝世は中身をテーブルに並べると、キッチンから油性のサインペンを取ってきた。十個いりの卵のパックを開け、手まえの一列のてっぺんにちいさく自分のイニシャルAと書いていく。サプリメントと牛乳のカートンにも同じようにした。

それはふたりの習慣だった。お互いに何度か手痛い別れを経験して、どんなものでも所有権をはっきりさせておくことが、いっしょに暮らし始めるときの取り決めになっていたのだ。そうすればいつか同棲を解消するとき醜い奪いあいをせずにすむ。最初は家具や電化製品や書籍だけだったが、月日がたつうちに部屋中にAとTが氾濫《はんらん》するようになった。今では生鮮食料品にさえイニシャルをいれるようになっている。ルッコラの束をまとめるビニールテープにさえ朝世のA。面倒なので百円未満は切り捨てだったが、もちろんスーパーの代金もきちんと自分の分だけあとで清算する。

冷たすぎるし、たいへんだろうという友人もいたが、朝世は気にしなかった。どんなに普通そうに見えるカップルにだって、必ずどこかひとつは首をかしげたくなるところがある。ある程度世のなかを見てきた朝世にはよくわかっていた。自分たちの場合、それが所有権明記の習慣なのだろう。今のところ、朝世と俊樹の生活は順調だった。ものごとがうまくいっているあいだは、習慣を変える必要などない。

「お先に」

腰にタオルを巻いた俊樹がリビングにもどってきた。

「わたしの分、書いておいたから。ねえ、それほんとにこれからたべるの」

まだTのイニシャルがはいっていないカップ麺がテーブルにのせられていた。

「うーん、どうしようかな。朝世はどう思う、これ」

俊樹はタオルのうえのわき腹をつまんで見せる。

「ちょっとくらい太ったっていいよ。若い子にはもてなくなるかもしれないけど、わたしはぜんぜん気にならないから」

お腹はそうでもないけれど、自分だって二の腕とお尻がたるんだ気がしていた。

「そういわれると逆にたべにくいな。じゃあ、うちの課の女の子のために今夜はがまんするか」

俊樹は壁に立てかけた姿見のまえにいきボディビルのポーズをつけた。鏡のなかでイヤリングをはずす朝世にいう。

「ダイエットのためにひと運動しようか」

朝世は鼻で笑うといった。

「だめ、疲れてるから。明日ね」

疲れてるときはけっこういいのにという俊樹の軽口をきき流して、朝世はバスルームにむかった。


土曜日の昼すぎ、カップルが遊びにきた。手土産は保冷ケースにはいった白ワインと缶ビールだった。坂口和人《さかぐちかずひと》と秀美《ひでみ》の夫婦は俊樹の学生時代からの友人で、朝世も去年の結婚式には招待されている。俊樹が最近買った大画面のプラズマテレビで、夕方からサッカー観戦をすることになっていたのだ。俊樹は横浜の生まれで、東京に越してきて十年以上たつのに今も熱烈なＦ・マリノスファンだった。

玄関で歓迎してから、朝世だけキッチンにもどった。ふたりで作業ができるほど広いスペースではないし、来客時のレシピはだいたい決まっていた。朝世が洋野菜を十種類以上刻みこんだサラダを大量につくり、俊樹が厚さ三センチほどのフィレステーキを表面に焦げ色がつくまでしっかりと焼く。順番は朝世が先だった。ステーキはさして時間がかからなかったし、焼きたてがおいしい。サラダはそのあいだ冷蔵庫できりりと冷やしておけばいい。あとは数種類のパンとチーズがあれば、十分満足のいく食事になった。

「朝ちゃんものむ」

秀美が白ワインのグラスをもってきた。カウンターのむこうでスツールに腰をのせる。

「ありがとう」

朝世は秀美と乾杯した。男たちはソファに座り、新しいテレビを観ている。秀美は笑っていった。

「すごいテレビだね。裏におおきくTって書いてあった」

朝世はオクラを縦に刻んでいた手をとめた。

「ほんと子どもみたいなんだから。絶対わたしにはやらないんだって」

テレビなど額縁みたいにおおきく薄くなくても、朝世は別にかまわなかった。それどころか文庫本くらいのサイズでもいいくらいである。

「でもお互い独身で、ちゃんと仕事してるから、ああいうのも買えるんだよ」

それから声を落として秀美はいった。

「わたしもなにか仕事したいな。主婦だけだと退屈で、退屈で」

坂口和人は古風なタイプで、妻になる人には家庭にはいることを望んだ。このところ不調とはいえ、銀行員の給与が悪くないからできることなのだろう。

「わかるよ。わたしも今の会社にはいって仕事がすごくおもしろいんだ」

「いいなあ。俊くんなら、うちのみたいに頭固くないから、仕事は続けられるでしょう。朝ちゃんのところは結婚しないの。いつまでも別々のイニシャル書かなくても、ふたりならきっといい感じの夫婦になると思うんだけど」

秀美はワインをのみほすと、グラスをかかげて底を見た。ここにもちいさくAの文字がある。朝世はオクラに包丁の先をいれた。

「いつかはそうなるかもしれないけど、今はよくわからないな。あまり形にこだわらなくてもいいんじゃないかって話してるんだ」

ふーんとうなずいて、秀美はキッチンの壁にさがった黒猫の鍋敷きを見つけた。

「朝ちゃんて、猫飼ってたの」

「うん。実家ではいつも飼ってた。やっぱりかわいいもんね」

「そうなんだ」

新鮮な野菜の繊維をさくりと切る感触が手に心地よかった。よく晴れた土曜日の午後、日ざしは白い壁に反射して明るくキッチンまで届いている。朝世はなにも考えずにいった。

「今もちょっと飼いたい気もちはあるんだけどね」

リビングからテーハンミングクの大合唱がきこえてきた。男たちは気分を盛りあげるためにW杯決勝トーナメントの韓国・イタリア戦をビデオで再生しているらしい。あっという間に終了してしまったあの大会のベストマッチだ。

朝世はワインをひと口のむと、白い粒を満載した小舟のようなオクラを皿に移し、ルッコラを手でちぎり始めた。

秀美から電話があったのは翌週の水曜日だった。夜九時すぎで俊樹は残業でまだ帰っていない。

「もしもし、朝ちゃん。ちょっといい話があるんだけど」

朝世はテレビの音量をさげた。大画面で見るニュースキャスターにはなんだか妙な違和感がある。

「なあに」

秀美は興奮しているのか、息つぎもせずにいった。

「友達のところで子猫が生まれてね、三匹いるんだけど、朝ちゃんの話をしたら最初に選ばないかって。わたしも見たんだけど、アビシニアンと雑種のハーフで、すごくかわいいんだ。うちもほしいけど、ほら銀行の寮だから」

一瞬考えたが、こたえはすぐだった。

「うん、見にいく。きっと俊樹もよろこぶと思う」

週末にその友人の家に遊びにいくことで話がついた。電話を切ってから、朝世は本棚で探しものをした。どこかの洋書屋で買った大判の猫の写真集があったはずだ。ひとり暮らしのときは、自分が相手をするだけでは猫のほうが淋しいだろうと、飼うのをあきらめていた。ふたりならなんとかなるかもしれない。

家族がひとり増え、急ににぎやかになる気がして、朝世はTシャツと短パン姿でいつまでもアビシニアンの写真を眺めていた。

俊樹は猫が一匹増えるくらいのことは気にならないようだった。前日仕事で深夜がえりだったのに、土曜日には不満そうな顔もせずに車をだしてくれた。朝世は午前中に恵比寿ガーデンプレイスの三越まででかけ、おいしいと評判のシュークリームを土産に用意した。

碑文谷《ひもんや》の住宅街にあるその家は、すこし変わった造りだった。三階建てのすべてがつや消しの金属で包まれていて、ガレージがおおきく住居スペースに張りだしている。ルノーの古いスポーツカーだというが、車に詳しくない朝世にはガラス越しに自動車を見ながら朝食をとるなんて考えられなかった。壁には美術館の展示品のようにぴかぴかの工具が飾られている。

朝世と俊樹は年の離れた夫婦に挨拶した。秀美は先にきていて、ガレージの隅の段ボールのなかの子猫と遊んでいた。朝世は土産をわたすと、さっそくガラス張りのガレージにいった。きっと奥さんのほうが気をつかってくれたのだろう。ガソリンやモーターオイルのにおいではなく、ジャスミンの香がたいてあった。秀美の声は少女のようだった。

「ねえ、見てみて。どの子もすごくかわいいよ」

引越し会社の段ボールのなかに古い毛布が敷いてあった。母猫は横になり、用心深そうに交互に秀美と朝世を見あげた。細く締まった筋肉質の猫だが、腹の皮だけがすこしたるんでいた。明るい栗色の毛並みは密で美しく、グリーンの目には黒い瞳が縦長に浮かんでいる。

「お母さんもりりしいね。どれもかわいくて迷うなあ」

三匹の子猫はてのひらにのるほどちいさかった。二匹は元気にじゃれあっていたが、残りの一匹はスフィンクスのように澄まして、やんちゃな兄弟を見つめていた。その一匹だけ毛の色は青みがかったシルバーで、落ち着いた賢そうな表情をしている。俊樹がやってきて中腰で段ボールをのぞきこんだ。

「おー、ちびはみんな元気だな。そこの端っこの銀色だけ、格好つけてるな」

自分がなにかいわれたのがわかったのだろうか、子猫は俊樹を見あげてちいさな袋を裂くようにひと声鳴いた。朝世が振りむいていった。

「今、あなたに挨拶したよ。この子はきっと頭のいい子だと思う」

「そう。それならそいつでいいじゃん」

俊樹お得意の横浜なまりがでた。気分のいい証拠だ。秀美がいった。

「じゃあ、朝ちゃん、この子で決定だね」

朝世はそのとき初めて銀色の子猫に手を伸ばした。ブローしたての髪のようにしなやかな毛並みだった。こつこつとちいさな骨の丸みが手にさわる。

「きみは男の子だよね。どう、うちにきてみる」

朝世が緑の目を見つめながら話しかけると、子猫はちいさく鳴いて、指先のにおいをかぎ、中指の先をひとなめした。


その日の夕方、猫砂ひと袋と子猫用の缶詰をおまけにもらって、朝世と俊樹はその家を離れた。帰りの車のなかで子猫の段ボールはずっと朝世のひざのうえだった。

「この子はお母さんに似て、どこか鋭いところがある。洋猫って顔の線が鋭角的で、なんだか狩りをする肉食獣って感じがするよね」

「そんなもんかな。あまりそのへんの雑種と変わらないと思うけど」

俊樹は子猫よりガレージにあった三十五年まえのフランス製スポーツカーのほうに興味があるようだった。猫と遊ぶ女性陣を放りだし、男同士でオールドカーのメンテナンスの話ばかりしていた。朝世は子猫にいった。

「わかってないね、このおじさんは。わたしがきみに最高の名前をつけてあげるからね」

俊樹は車線変更しようと、バックミラーを確認していった。

「おでこのまんなかにAって書かないのか」

朝世はそんなことは考えもしなかった。憤然としていった。

「書くわけないじゃない。この子は家族の一員で、俊樹のテレビなんかとはくらべものにならないんだから」

しばらくのあいだ車内は静かになった。恵比寿に近づいてから、俊樹がようやく口を開いた。

「この一年でイニシャルを書かなくていいものがうちにきたのは、初めてだ。そういうのがだんだん増えていくと、ぼくたちの暮らしも変わっていくのかもしれないな」

いつになくまじめな口調にはっとして、朝世は運転中の横顔に目をやった。俊樹は口元を結んで、正面を見つめている。朝世は片手で子猫をなでながら、シフトレバーにのせられた俊樹の手にもう一方を重ねた。

銀の子猫は見慣れぬマンションに驚いたようだったが、最初のミルクと最初のトイレをすませると、新しい部屋の探検にでかけた。ちいさな尻尾《しっぽ》をまっすぐに伸ばし、頭を高くあげて周囲に注意を払いながら、ゆっくりとリビングルームを踏破していく。俊樹はそんな子猫を見ていった。

「この部屋の王子さまって感じだな」

土曜日の夜と日曜日の丸一日、朝世と俊樹は一歩も外出せずに子猫と遊んですごした。それまでのふたりには考えられなかったことである。どれほど疲れていても、週末には必ず外で食事をするか、映画やショッピングをたのしんでいたのだ。

日曜日になると、おとなしかった子猫ははめをはずして転げまわるようになった。ソファの嶺《みね》を歩き、椅子からテーブルの高台にジャンプする。俊樹の肩にのって、部屋から部屋に新しい領土の視察にいきたがった。

日曜の夜、遊び疲れて腹を見せて眠りこんだ子猫を見ながら、朝世がいった。

「わたしたちももう寝ましょう。こんなことなら、もっと早く猫を飼えばよかった。ねえ、けっこうたのしいでしょう」

パジャマ姿の俊樹はおろしたてのハンドタオルを子猫の腹にかけてやった。

「そうだね。土日に外にでないから、お金もつかわなくてすむし。この調子ならマンシヨンの頭金くらいすぐにたまるかも」

ふたりは新しい家族が起きだしてきたときのために、リビングと寝室のあいだの扉を開けたままにして眠りについた。


月曜日、朝世は集中して仕事に取り組んだ。だが、終業時間近くになると子猫の様子が心配でたまらなくなり、仕事をもちかえることにして定刻に会社をでた。まだあの子は生まれてからひとりきりで一日をすごしたことはないのだ。さぞ淋しい思いをしていることだろう。恵比寿の駅ビルで造花のアマリリスやプラスチックの小鳥など、子猫のおもちゃになりそうなものを見つくろい、足早に部屋にもどった。

玄関の鍵を開けると同時に声を張る。

「ただいま。今かえったよ、淋しくなかった」

部屋はしんと静まり、もの音さえきこえなかった。子猫は眠っているのだろうか。朝世はローファーを脱ぐと、短い廊下をリビングにむかった。よかった。いつもの段ボールのなかに子猫はいる。横になって眠っているようだ。だが、どこか様子がおかしかった。

「だいじょうぶ、調子悪いの」

子猫は手足をだらりと伸ばして横倒しになっていた。舌がたれて苦しそうに速く浅い呼吸を繰り返している。朝世の言葉にも頭をあげることができず、うっすらと開いた涙目で見あげるだけだった。身体をさわってみた。ぐったりと力のない中身の抜けたクッションのような手ごたえだ。朝世はパニックを起こしそうになった。

上着の内ポケットから携帯電話を取りだし、画面も見ずに選択する。

「ぼくだ」

俊樹のよそいきの声がきこえた。

「わたし。今部屋にかえったところなんだけど、この子の様子がおかしいの。息が苦しいみたい。舌をたらして、なにをいってても反応がぜんぜんかえってこないの」

オフィスの俊樹は冷静だった。

「ちょっと調子が悪いって感じ、それとも死にそうによくないって感じ」

朝世は子猫の腹を見た。周期的に痙攣《けいれん》するように波打っている。

「よくわからないけど、あとのほうみたい」

俊樹の声が引き締まった。

「そうか。よくきいて。朝世は104で近くの動物病院をきいて、タクシーでその子を連れていく。急患だといって順番を飛ばして診てもらうんだ。ぼくはすぐに仕事を切りあげる。会社の帰りにまっすぐそっちにいく。わかった？　動物病院についたら、電話してくれ」

「うん、わかった」

俊樹の声は力強かった。

「朝世、しっかりして。その子はまだ名前さえないんだ。きみだけが頼りなんだよ」

俊樹の声をきいているうちに涙がこぼれそうになったが、朝世は声を揺らさずにこたえた。

「うん。できるだけやってみる。そっちもなるべく早くね」

最寄の動物病院は五百メートルほど離れた恵比寿南にあった。目黒三田通りに面していたのだが、それまで用のなかった朝世には目にはいらなかったのだろう。中年の獣医と若い看護師は閉院の準備をしていたが、朝世の泣き顔を見るとすぐに鍵を開けてくれた。

疲れた表情の獣医は子猫の身体を診察台に横たえると、目と口のなかを診てから聴診器を胸にあてた。

「これは肺にうっ血を起こしてますね。この子は生後どれくらいですか」

朝世は碑文谷できいた誕生日を思いだした。

「四週間くらいだと思います」

「そうですか」

獣医は聴診器をはずし、看護師にいった。

「超音波の準備を頼む」

看護師が台車にのった業務用電子レンジほどの機械を押してきた。もうひとりは獣医の指示で、子猫の胸の毛を剃り始める。準備ができると獣医は先の丸まったプローブを、ゼリーまみれになった白い地肌に押しつけた。白黒のディスプレイに、あわてたように収縮を繰り返すちいさな心臓の影が映った。獣医は唸《うな》った。

「うーん、これは……」

心臓イメージを数枚プリントアウトすると、獣医は看護師になにか横文字の薬の名前をいった。朝世はただ診察室のまんなかに立ち、ぼんやりと子猫を見つめるだけだった。注射を二本打ち、応急手あてがすむと、獣医は朝世を椅子に座らせた。

「この子はペットショップでお求めになったんですか」

朝世は首を横に振った。

「おととい友人の友人からもらってきたばかりなんです」

「そうですか。ペットショップのものなら、保証書がきいて元気な猫ちゃんと交換できるんですが、それは困りましたね」

子猫の返品保証。朝世には考えられないことだった。獣医は淡々といった。

「残念ですが、この子の心臓には生まれつき欠陥があります」

プリントアウトを見せると、ボールペンの先で濃い影を指した。

「心臓のなかに左右の部屋を分ける筋肉の壁があります。心室中隔《しんしつちゅうかく》というんですが、この子は生まれつきここにちいさな穴が開いていたようです。この数日激しい運動をしなかったですか」

土日は俊樹と朝世とマンションのそこかしこを転げまわって遊んでいた。あの元気な子猫の心臓に穴が開いていたなんて。朝世は力なくうなずいた。

「ちいさな亀裂がそれで広がってしまったんでしょう。左右の心室が短絡《たんらく》を起こしています。左室からの血液が肺動脈へ流れこむので、肺うっ血を起こして呼吸が苦しくなっているのです。先ほどはうっ血を抑える薬を打っておきました」

そのときスーツ姿の俊樹が診察室にはいってきた。台のうえで意識をなくしている子猫を見ると、朝世にうなずいた。

「こいつはだいじょうぶなんですか、先生」

疲れた表情の獣医はまったく変わらないペースで先ほどの話を繰り返した。最後にいう。

「問題はここからです。今夜はこの子をお預かりしますが、よくお考えになってください。このままでは助かりませんから、心臓の手術が必要です。手術には危険がともないますし、多額の費用もかかります」

俊樹が口をはさんだ。

「いくらぐらいなんでしょうか」

獣医はだいたいだがといって、先日俊樹が買ったプラズマテレビほどの手術費用をこたえた。

「手術がうまくいっても、こうした障害をもって生まれた子猫は病弱なことが多く、あまり長生きしないかもしれません。成功しても合併症を起こして手遅れになることもあります。手術をするか、あるいはこのまま安らかに眠らせてあげるか、厳しい選択になりますが、よくお考えのうえ明日お電話ください」

朝世は必死でいった。

「明日じゃなくちゃだめなんですか」

「はい。もし手術をするなら、体調の管理をすぐに始めて……」

獣医は壁にさがっているロシアンブルーのカレンダーを見た。

「……今週末には手術をしたほうがいいでしょう。これ以上、穿孔《せんこう》が広がると危険なことになります」

「わかりました」

俊樹はそういうと朝世を見た。朝世はゆっくりと立ちあがった。なんとかこらえていた涙が診察室の白いタイルに点々と落ちてしまう。注射が効いたのか、呼吸がゆるやかになった子猫のところにいき、そっと手をのせた。あたたかで薄い身体だった。

「明日またくるね」

朝世の肩に俊樹が手をのせた。朝世は抑えられずに俊樹の胸を借りて、吐くように泣いた。獣医も看護師もその場にいたのだが、どうにもならなかった。背中をなでる男の手のやさしさに、朝世は自制心が崩れていくのをとめられなかったのである。


帰り道で俊樹がいった。

「コンビニで弁当でも買っていく、それともなにかたべていく」

時刻はもう夜十時近くになっていた。のどはからからだが、食欲はまったくなかった。

「たべたくない」

俊樹は歩道で首を横に振った。

「だめだよ。朝世がたべなくてあいつが元気になるならいいけど、どうせ手術をするつもりなんだろ」

朝世は青い顔をしてうなずいた。

「それならまだ一週間もあるし、そのあとの看病もある。今から栄養をつけておかなくちゃだめだ」

朝世は俊樹に顔をむけた。うしろから走ってくる車のヘッドライトで表情は見えなかった。

「手術をするのはぼくたちのエゴで、生まれたばかりのあの子には負担がおおきすぎるのかもしれない。たとえ成功しても先生のいうとおり、病弱なまま短い一生になるかもしれないし、つらい生きかたを押しつけるだけになるかもしれない」

俊樹のいうこともわかった。だが、朝世には手術以外の選択は考えられなかった。てのひらにのるほどちいさなくせに、あんなに熱い身体にふれてしまったら、ほかに選ぶことなどできなかった。うつむいてなにもいえなくなった朝世の手を引いて、俊樹が歩きだした。

「わかってる。手術に賭けてみよう。夏の旅行をキャンセルして、こづかいをすこし減らせばいい。手術料金は割り勘でいいよな」

朝世は泣きながら笑った。その夜はマンションの近くにある讃岐うどんの店にいき、俊樹はかき揚げを、朝世は冷やしきつねを注文した。俊樹が見ているので、なんとか半分だけうどんをすすり、朝世は箸《はし》をおいた。いつもなら大好きな味なのだが、舌がおかしくなっているらしく、とてもしょっぱく苦く感じた。

手術は土曜日の午後二時に決まった。予定では二時間ほどで終わるという。朝世と俊樹は動物病院の待合室で待機した。坂口夫妻もお見舞いに顔をだしてくれる。秀美は朝いると思う。がんばれって応援してあげたいけど、わたしはどんなふうに呼んだらいいのかもわからない。わたしたちのまわりにあるものは、どんなにくだらないものでも、ちゃんと決まった名前をもってるのに、あの子には名前もないの。生まれてひと月で、もっているのは穴のあいた心臓だけなんだ。そう考えたら、たまらなくなって」

朝世はボールペンの先を手帳に突き刺した。声を漏《も》らさないように肩を震わせている。俊樹がベンチのとなりにやってきて、しっかりとその肩を抱いた。

「今はいいよ。あいつがもってるのは穴のあいた心臓だけじゃない。ぼくたちだっているし、帰る家だってある。名前のない猫だって漱石《そうせき》みたいで悪くないじゃないか。やつが根性を見せて無事にもどってきたら、ふたりで死ぬほど考えていい名前をつけてあげよう」

声が濡《ぬ》れているような気がして、朝世はそっと俊樹の顔を盗み見た。男の目には涙がたまっていたが、こぼれてはいなかった。

「今回のことで、ぼくにはよくわかったことがある。名前ってぼくたちがやってるみたいに誰のものかあらわすだけじゃないんだ。何度も心のなかで呼んでみたり、歌うように繰り返したり、誰にも見られないように書いたりする。好きな人の名前って、それだけでしあわせの呪文なんだね。ぼくは朝世の名前が好きだよ。うちにあるツナ缶やスパゲッティやプーアル茶のうえに書いたAだって、すごく気にいってる。部屋中全部Aと書いてあってもいいくらいだ」

朝世は涙をふいて、いたずらっぽく笑った。

「じゃあ、あの新しいテレビにもAって書いていいの」

俊樹も笑ってうなずいた。

「いいよ。まだ十カ月はローンが残ってる。書いてくれたらありがたい」

ふたりは同時に短く笑い声をあげた。朝世は右手の人さし指で俊樹の頬にAと書くと、あたりに看護師の姿がないのを確認してから、そのイニシャルがいつまでも消えないように、そっと唇を寄せた。


手術は二時間半かかって終了した。獣医が感情の読めない顔で、ステンレスの扉を抜けてくる。ふたりはベンチから立ちあがった。中年の医師が口を開いた。

「手術は成功しました。あとはこの数日中に合併症がでないかどうかが、つぎの関門です。そこをのりきれば、そうですね、二週間後には退院です」

ふたりの声がそろってはじけた。

「先生、ありがとうございました」

そのとき扉が開いてストレッチャーにのせられた子猫が点滴スタンドとともに運ばれてきた。胸から腹にかけて広い範囲の毛が剃られているので、ひとまわりちいさく見えた。だが、その腹は呼吸にあわせて勢いよく波打っている。疲れた表情の獣医がいった。

「いいえ。お礼をいうのはこちらのほうです。ああした場合、だいたいのかたは安楽死を選びます。ひどいときにはペットショップの店員が、その場に交換の子猫をもってきたりすることもある。失礼ながらわたしは、おふたりもきっとそうなさるだろうと思っていた。今日の心臓のオペは現代の技術なら、勝ち目の多い手術でした。あの子に生きるチャンスを与えてくださってありがとう」

その夜、動物病院からもどった朝世と俊樹は何度も祝杯をあげた。Tのイニシャルのビールを空け、Aのイニシャルのワインを抜く。ロックフォールチーズはAで、冷凍食品の焼きおにぎりはTだった。Aのキューバ音楽のCDを、Tのステレオでかけて、ふたりでリビングのまんなかで踊った。

おおさわぎがすむと、ふたりは仕事に取りかかった。ファックス用紙をちいさく切ってつくった紙に、思いつくかぎりの子猫の名前を書いていく。二百を超える紙片が真夏の雪のように床を埋め尽くした。

真夜中、銀色の子猫の名前は決定した。酔っ払ってつけたものだから、それがあの子にとって最高の名前だったかどうかはわからない。だが、それは初めて朝世と俊樹がいっしょに考えて選んだ名前だった。
二週間後、元気に子猫が退院する日まで、その名前はふたりだけの秘密だ。

誰かのウエディング

結婚式というのは、ほぼ例外なく退屈なものだ。中台《なかだい》歩《あゆむ》は六人分のテーブルセッティングがものものしい円卓を見つめて、心のなかでため息をついた。周囲に並ぶのは歩の勤める食品会社の男子営業部員ばかりで、平日に見飽きた顔だ。

新郎だか新婦だかの親戚による挨拶がだらだらと続いていた。招待客はみな退屈そうにイセエビの半身のグラタンをつついている。ふた切れかそこらで具はなくなり、あとはホワイトソースばかりのグラタンだった。イセエビがでたということを証拠として残すためにだけ選ばれたメニューのようだ。客は総勢八十人ほどだろうか。ホテルの中ホールは中央に花を飾ったテーブルで埋まっている。折りあげになった丸天井とやわらかな間接照明で実際よりずっと広々と感じられるホールだった。見せかたがうまいのだ。

「いいよなあ、内山《うちやま》さんは」

歩の右どなりで部下の広瀬《ひろせ》が口にイセエビをほおばったままいった。灰色のスウェットスーツは身体にあわずだぶだぶだ。このお調子者は披露宴が始まるまえにチャペルを取りまく人工の流れに落ち全身を濡らしていた。タキシードはスピーチまでに乾かし、アイロンをかけ届けてくれるという。一流のホテルはお調子者にやさしかった。歩はライバルメーカーのビールをひと口のんでいった。

「そんなにうらやましいか。同期入社の女の子とできちゃった結婚だぞ。これから一生そういってからかわれる」

広瀬の丸顔は食前のシャンパンで軽く上気していた。

「中台さんは厳しいから。だって別に結婚しなくてもいいと思ってるんでしょう。あせる年じゃないのはわかりますけど。百合子《ゆりこ》さんはまあまあかわいいし、うちの会社、産休制度がしっかりしてるからいいじゃないですか」

歩は三十二歳だった。男性の平均初婚年齢をわずかに超えたというところか。広瀬は確か二十六だったはずだ。自分も二十代のなかばには急に結婚願望がつよまった時期があったのを思いだした。

「おまえの彼女、元気?」

広瀬には大学時代からつきあっている女性がいたはずだ。卒業して四年、ずっと続いているなら、結婚は近いのかもしれない。広瀬は魚用のスプーンでホワイトソースをすくっている。

「ええ、今は適当に遊びながら結婚資金をためているところです。調べたからわかるけど、このホテルでこのくらいの招待客数だと、二百五十万から三百万はかかりますね」

そこは西新宿にある超高層のシティホテルだった。名前はとおっている。歩は首を横に振った。

「ふーん、そんなもんか」

この退屈の数時間のために支払われる金額に改めてびっくりする。広瀬はあたたかなバターロールを裂いて、イセエビの殻にひたした。

「じゃあ、こんなのご存知ですか。結婚費用って三分割なんですよ」

歩は冗談で返す。

「退屈と月並みとお涙頂戴の三分割だろう」

広瀬は得意そうにいった。

「違いますよ。親からの援助が三分の一、ご祝儀が三分の一、あとは当人の自己資金が三分の一。総費用の半分は式場にかかりますから、この数日で六百万は消えちゃうな」

歩は心のなかでまたため息をついた。月並みをきちんとやり切るにはたいへんな労力が必要なのだ。神経も財布もとても今の自分には耐えられそうになかった。

そのとき、ステージわきに立っている女性が片手で耳のイヤホンを押さえた。口元につきでたマイクにむかってなにか返事をしてうなずく。黒いタイトスカートのスーツをぴしりと着た小柄な女性だった。髪は底光りするような輝きでうしろに束ねられている。

年齢は二十代なかばだろうか。彼女は軽い身のこなしでテーブルを縫ってやってきた。歩と目があうと、目元は引き締めたままほほえんで会釈した。広瀬の横で立ちどまり、腰をおっていう。

「タキシードがしあがったそうです。広瀬さまはこのふたつあとでご挨拶の順番がまわってまいりますが、先にお着替えなさいますか」

広瀬はあわててうなずき席を立った。広げていたナプキンを落としてしまう。彼女は足をそろえてかがむと、床に落ちたナプキンの頂点をつまんだ。歩は張りつめたタイトスカートの腰の線とつややかに光るストッキングのひざの丸さに目を奪われた。

「こちらへどうぞ」

彼女に先導されて広瀬が後方の扉にむかった。バラの花が浮き彫りにされた白い扉は遊園地のアトラクションの入口のようだ。歩は振りむいてふたりを見送りながら考えていた。これで残りの一時間半、それほど退屈せずにすむだろう。ゆっくりと目で追うことができる対象が見つかったのだ。スポットライトのなかでかしこまっている新郎新婦も、会社の同僚の顔ももううんざりだった。

ガソリンスタンドに貼ってある水着ポスターのようなものである。ほんのつかの間注意をそらせ、気もちをリフレッシュしてくれる魅力的な異性のイメージ。女たちは遠くでにっこりと笑うだけで、男たちの視線は届くことなく、すべて印刷の薄い皮膜で撥《は》ねかえされてしまう。

だが、歩にはそれで十分だった。ときどきちらりと見て、単調な披露宴やドライブで疲れた目と心を休める。ポスターの美女とつきあう気がないように、彼女に声をかけるつもりもなかった。

それが最初に彼女を意識したときに歩が考えたことで、ひとり身の気楽さが染みついている自分が、それから三十分もしないうちに行動を起こすなど、そのときには想像もしていなかった。


広瀬の挨拶は悪くなかった。もっとも四人並んだ新郎の後輩が、ひと言ずつスタンドマイクのまえで長所をあげていくだけなので、失敗するほうがどうかしている。人がいい、責任感がある、後輩思い、経費の領収書をためこむ癖があるので新婦は気をつけるように。広瀬は爆笑で最後を締めるといった。

「では、おふたりの末永い幸せを祈って、一曲うたいたいと思います。今日は特別に遥かアフリカのケニアからシンガーを呼んでいます。デイヴィッド・ンデゲチェロに、どうか盛大な拍手を」

ステージわきの扉からタムタムを抱えた背の高い黒人がはいってきた。後方にバストトップだけ隠すセパレートのステージ衣裳を着た黒人ダンサーがふたり続いている。スピーカーからはスティーヴィー・ワンダーの「ハッピーバースデイ」のカラオケが流れだした。その日初めての盛大な歓声が起こると、マイクのうしろの四人がタキシードを脱ぎ始めた。

飲食店むけのノンアルコール飲料を扱う営業二部第一課の若手社員四人は、すぐに女性用競泳水着一枚になって、ダンサーといっしょに踊りだした。それは歩の会社で恒例になっている余興で、四人はこれから四種類のメドレーリレーの泳法をまねながら、広い会場を一周することになるだろう。鼻にはシンクロの選手がつけるクリップをしている。

歩はナプキンで口元をぬぐうと席を立った。トイレ休息にちょうどいい時間だった。ケニアからきた歌手は声が太く、さびのハッピーバースデイのところをハッピーウエディングと替えてうたっていた。手拍子はとぎれることなく続いている。ホールをでようとすると、白いレリーフの扉の横に先ほどの女性が立っていた。歩は気がついたら声をかけていた。

「すみませんね、うちの会社、下品で」

ひっつめ髪の生えぎわが動いて、彼女は軽く眉をあげてみせた。

「いいえ、予想はしておりましたから。余興でなにをなさいますかとおききして、えーとと言葉を濁されるかたはだいたいこのような調子です。先週のお客さまのように裸でないだけ結構かと」

そういうと彼女ははっきりと自分の意思で笑ったようだった。目尻に細かなしわが寄る。思っていたより若くはないのかもしれない。粒のそろった小振りな前歯を見て、歩の胸が騒いだ。ゆるやかでまったく抵抗感のないまま三十の坂を越えてから、そんな気もちになったのは初めての経験だった。

意識してしまうと、もう彼女と口を利くことはできなかった。歩は右手と右足を同時に動かして、ぎこちなく廊下の奥にある豪華なトイレにむかった。

席にもどると広瀬が息をはずませて声をかけてきた。

「なんだ、中台さん、見てなかったんですか。最後のバタフライ、すごく盛りあがったのに」

歩はうなずいてワインをひと口のんだ。広瀬は声を殺していう。

「そんなことより、ちょっと耳を貸してください。あのむこうの壁ぎわに立ってる女の子すごくよくないですか」

自分が気にいった先ほどの女性だろうかと思って、歩はひやりとした。広瀬の視線を追ってみる。その女性は壁を離れ、近くのテーブルから皿をさげていた。黒いワンピースに白いエプロンをつけ、胸元の張り切った堂々とした体格の女性だった。

「すごいスタイルだね、つきあってる彼女のほうはいいのか」

広瀬は赤ワインのグラスを干すと、ウエイトレスにむかって手をあげた。

「秘密、秘密。いいじゃないですか。四年もつきあってると、よその花がきれいに見えたりしちゃうんですよ」

ウエイトレスがやってくると、広瀬は空きびんをかかげてみせた。

「おいしいワインですね。同じのをもう一本。ところで、今日は何時ごろに終わるんですか」

広瀬の誘い文句は遊びがなくまっすぐだった。ウエイトレスは困ったような笑顔を見せている。

「さっきの歌手がでてるケニア料理のレストランがあって、ぼくの得意先なんだ。すごくからいけどおいしいトウガラシのスープが名物で、楽しい店だよ。よかったら、友達も誘ってうちの会社のメンツと合コンしない？　ごちそうするからさ」

ウエイトレスの表情がゆるんだのが、歩にもわかった。生バンドのはいったアフリカ料理店での合コンというのがきいたのかもしれない。広瀬は内ポケットから名刺いれをだして、一枚抜きだそうとしている。ウエイトレスはまんざらでもなさそうに首をかしげていた。そのとき先ほどのひっつめの女性がテーブルの横に突然あらわれた。ウエイトレスにやわらかに声をかける。

「堀池さん、ガーベラのテーブルのお客さまがお呼びです。こちらはわたしがお話をうかがいますから、すぐにいってあげて」

ウエイトレスは残念そうに早足でその場を離れていった。広瀬は手にした名刺のやり場に困っているようだ。歩はおかしくてたまらなかった。彼女はにこやかに笑っていう。

「新しいワインのほかになにかご用はありますでしょうか」

歩と視線があった。彼女はお互い困った部下をもったものだという共犯者の笑いで見つめ返してくる。広瀬は口のなかでなにかつぶやいていたが、歩はいった。

「いいえ、なにも」

彼女の几帳面なうしろ姿を見送って、歩は決心した。仕事もできるし感じのいい人だ。すごい美人ではないけれど、きりりと締まった歩好みの顔立ちをしている。彼女にはすでに決まった相手がいる可能性が高いが、だめでもともとだった。

歩は自分の名刺をテーブルにだすと、裏に携帯電話の番号とご迷惑でなければお電話くださいと一文書きそえた。やけになってワインをがぶのみしている広瀬をおいて、テーブルを離れる。新婦の友人がＭｉｓｉａの「Ｅｖｅｒｙｔｈｉｎｇ」を熱唱するなか、ホール後方の扉にむかった。彼女はまたそこで口元のマイクにむかってなにか指示をだしているようだった。歩が近づいてくるのに気づくと、会釈していった。

「先ほどは失礼しました。スタッフの女の子がお客さまと長いあいだ話していると、お年を召した女性のお客さまから苦情がくることがあるんです。その……」

言葉に困っているようだった。歩はいう。

「ちゃらちゃらしてるとか」

彼女の表情がぱっと明るくなった。

「ええ、そういうことなんです」

「うちのほうこそ、部下がお仕事中に合コンに誘ったりしてすみませんでした」

「とんでもありません。よくあることですから」

歩は勇気をだして名刺をさしだした。彼女は驚いた顔で見つめ返してくる。

「後輩のナンパをあやまっておいて、こんなことをいうのはなんなんですが、これ受け取ってください。迷惑ならやぶって捨ててかまいません。ただ二度と会えないのは残念だなと思って」

彼女はさっと披露宴会場を見わたしてから、なにもいわずに歩の名刺を指先でつまんで胸ポケットにいれた。かすかに冷たく笑う表情に変化はない。歩は頭を冷やすため外の空気が吸いたくなった。彼女は軽く頭をさげて白い扉を開き、歩がホールをでるまで扉を支えてくれた。

その日は披露宴が終了するまで、彼女は二度と歩と視線をあわせようとはしなかった。

歩の携帯が鳴ったのは、四日後の木曜日の昼休みだった。会社近くの定食屋の帰り道である。この秋初めてのサンマの塩焼きに満足して、歩の声は明るかった。

「はい、中台です」

おずおずした声が携帯の雑音とともに流れだす。

「あの、わたし、染谷由紀《そめやゆき》といいます。披露宴でお名刺を……」

歩は道端で思わずおおきな声をだしていた。もう電話がくることはないとあきらめていたのである。

「もちろん、覚えています。染谷さんとおっしゃるんですか、お電話ありがとう」

まだ残暑の厳しい九月の陽光を避けて、近くのビルの日よけにはいった。日陰にはいると風の涼しさが心地いい。あれほどの猛暑だった今年の夏も、もう秋に主役を譲ったのだ。この涼しさは自分が三十二になったのと同じで、にわかには信じられない出来事だった。由紀の声ははずんでいる。

「いえ、こちらこそありがとうございます。あんなふうに連絡先をもらうなんて、このごろめったになかったから、びっくりしましたけどちょっとうれしかったです」

電話をかけてきてくれたのは彼女である、デートに誘うのは自分の番だ。歩は思いきっていった。

「つぎの休みの日にでも、食事にいきませんか」

由紀は困ったようにいった。

「春と秋のウエディングシーズンには週末に休みはないんです。いきなりなんですが、明日は休みが取れるんですけど」

歩は頭のなかでさっと翌日のスケジュールをチェックした。赤坂の系列店に顔をだすことにすれば、早い時間に直帰できるかもしれない。時間が比較的自由になるのは営業職の数すくないメリットだ。

「わかりました。明日の六時でいいですか」

「はい」

場所は初めてふたりが会った西新宿に決めた。念のためといって番号をきくと、由紀はためらわずに教えてくれる。歩は通話を切るとすぐその場で携帯電話に登録した。

たかが電話番号のメモリーがひとつ増えるくらいでこれほどうれしいなんて、自分はどうかしているんじゃないか。冷静になってそう考えても、昼休みを終えて会社にもどる足取りが軽くなるのを歩はとめられなかった。

由紀はベージュのスーツ姿で待っていた。結婚式場の黒服の色違いに見えるかちりとした仕立てである。目的の階数別に十二の扉が並ぶ広々した石張りのエレベーターホールだった。歩はあのシティホテルとは別な超高層ビルをデートの場所に選んでいた。由紀の立ち姿は披露宴のときと変わらず正しい姿勢だ。

「待った？」

由紀は笑って首を横に振った。おろした髪の毛先がやわらかに揺れる。歩はすっかり緊張していたが、相手が硬くなっているかどうかはわからなかった。最上階の展望レストラン街にあがるエレベーターにのりこむ。五十二階をのぼるには、ほんの数十秒しかかからないが、そのあいだに二度唾をのまなければならなかった。ふたりきりの箱のなかで歩は低い声でいった。

「これからいくのは友人が働いてるそば割烹の店で、なかなかうまいんです。年のせいかこのごろ脂っこいものが苦手で」

由紀は目まぐるしく動く階数表示を見あげていた。

「中台さんて、今おいくつなんですか」

歩は正直にいった。

「もう三十二です。若い子からしたら、おじさんかもしれない」

由紀は歩を見てぽつりという。

「よかった。わたしもこの春三十歳になりました。ほんとは話をしてるうちに中台さんのほうが年下だってわかったら嫌だなあって思っていたんです」

エレベーターの扉が開くと、正面に西新宿の夕景が広がっていた。新都心は暮れていく空に浮かぶ豪勢な空中都市のようだ。夕日が遥か足元に沈んでいく。片側に明かりの灯《とも》り始めた街を従えて、歩は最上階の回廊を案内していった。

和食店でとおされたのは取っておきの個室だった。六畳に床の間がついたさして広くはない部屋だが、真新しい障子を開け放つと眼下にまぶしい新宿の夜景が広がっていた。ふたりが席に着くと、椀もの、お造り、すすめ肴《ざかな》とゆったりと間を取って料理が運ばれてきた。由紀は最初のビールをあけてしまうと、冷酒を水のようにのんだ。半分ほど食事をすませたところで、ようやく歩の緊張もほぐれてくる。

「電話にはほんとにびっくりしたな。染谷さんなら、絶対彼氏がいると思ったから」

由紀はもう業務用の笑顔をつくってはいなかった。ガラスの杯をおくとあっさりという。

「ウエディングプランナーって、他人のしあわせのためにだけ働く仕事なんです。まだ、わたしは一本立ちしたディレクターじゃないけれど」

別に返事をする必要はないようだった。歩は黙って杯を満たしてやる。

「ありがとう。あそこで働いている女の子はほとんど彼がいないんです。土日は休めなくて、春と秋のハイシーズンには、ほとんど休日も取れない。男の人と出会う機会なんてぜんぜんないのに、ホールでは男性のお客さまと話すことも禁じられてる」

結婚式に関心がない歩には、ウエディングプランナーの知識はほとんどなかった。

「あのさ、いつも黒い服を着てないといけないのかな」

由紀は手首の返しで杯をあけてしまった。

「ええ。春夏はひざ丈のスカート、秋冬はパンツ。でも色は黒に決まってるんです。披露宴の主役は新郎新婦だから、スタッフが目立ってはいけないんです」

歩はどこかの雑誌で見かけた話を思いだした。

「でも、今若い女性のあいだでは人気のある仕事なんだろう」

由紀は杯をおくと、両手をひざのうえにのせ、姿勢を正した。

「わたしもあこがれてこの世界にはいりました。短大をでて中堅の商社に就職したんだけど、事務仕事がおもしろくなくて。営業補助をやっていたけど、同期の女の子はきちんと段取りをすれば二、三時間で終わるような仕事を、のろのろと一日かけてやっていた。もうちょっと仕事をしたいと上司にいっても、その会社では一般職の女性に重要な仕事はやらせてもらえなかった。わたしはもっと自分を生かせる仕事がしたいなと思って」

歩も長岡の大吟醸だという冷酒をのんだ。果実酒のような爽やかな香りを残してのどを落ちていく。自分がその一員として働いて、まだこの国の会社は男の世界だと歩も感じていた。

「それで転職したんだ」

「そう。転職は成功だった。ウエディングプランナーの仕事は女性のセンスとか心づかいがとても重要で、高く評価されるんです。今でも、いい結婚式のときは新郎新婦を見ていて、涙ぐんだりすることがあるし。そんなときはちょっと遠まわりしたけど、この仕事をしていてほんとうによかったって思う」

自分が夢見ていた仕事につく。大学時代、将来に夢を描いたことがあっただろうか。どこかの会社に潜りこんで、そこそこの一生で十分とあきらめていたところがあったかもしれない。由紀は自嘲するように笑い、空になった杯の底を見ていた。

「でも、この仕事について裏側もいろいろと見えるようになってしまった。それはビジネスのことじゃないんだけど」

「きいてるよ。話して」

歩は自分の声のやさしさに驚いた。由紀もはっと目をあげて、歩を見つめる。

「中台さんて、いいなあ。じゃあ、全部話しちゃっていいですか」

歩がうなずくと、由紀は続けた。

「ウエディングプランナーにも専門学校があって、そこで勉強してからホテルや式場に就職するんです。フロア係で追いまわされて四、五年。現場のことが身体でわかるようになると、ようやくプランナーの仕事をまかせてもらえる。だからだいたいディレクターになって結婚式を仕切れるようになるころには、三十歳を超えているんです。わたしは尊敬してる先輩が何人かいるんだけど、ほとんどの人は独身でボーイフレンドもいないの。ひっつめの髪がどんどんきつくなって、化粧がだんだん完璧になって、ワードローブに微妙にカットが違う黒いスーツばかり増えていく。誰かのウエディングを成功させるために、三カ月もまえからプランニングをしてるのに、自分の幸せにつかう時間なんてみんなぜんぜんないの。仕事はできるけど、女子校の校長先生みたいに顔が厳しくなっちゃう。わたしはウエディングプランナーの仕事が大好きだけど、そんなふうにはなりたくない。でもわたしだってこのままいったら乾いていっちゃうだろうな。そう思うとなんだか怖くて」

そうだ、といって、由紀はバッグからなにか取りだした。歩のまえにおく。

「これ、広瀬さんが声をかけていた女の子の名刺です。わたしからもらったことは内緒にして、連絡をするようにいってください。きっとみんな合コンやりたがっていると思う。あの子たちもボーイフレンドのいない子が多いから」

歩には想像もできない世界だった。すべてが非現実的なまでに美しく整えられたセレモニーの場で働く女性たち。てきぱきと動き、過不足のない笑顔で式の流れをコントロールしている黒服のスタッフにそんな悩みがあるなんて。由紀はため息をついていった。

「でも、ぜいたくでつまらない悩みかもしれないですね。日本が十年以上も不景気だったり、世界中で起きてるテロとかにくらべたら」

誰かが困っていることをいっしょに困りたくなる。それだけ相手にひかれているということなのだろうか。歩はガラスのむこうの西新宿の夜景を見ながらいった。

「そんなことない。デフレや国際紛争のほうが、もっとつまらない問題だよ。みんながちいさな幸せを追いかけることで、この世界は続いてきた。外の世界がどんなふうでも、染谷さんはいい結婚式をばりばりプランニングして、余った時間はいい男と遊べばいいんじゃない」

「わーい、そんなことといってもらえるとほんとにうれしい」

由紀はだいぶ酔っているようだった。歩の杯を満たすと、あふれるほどなみなみと自分にも注ぎ、勢いよく乾杯する。それはホテルの宴席で見るのとは対照的なほぐれかたで、部下に注意する厳しい由紀も、冷酒をこぼしながら杯をあける由紀も、どちらも魅力的だと歩は思った。


二軒目にいくまえに、ふたりは外の空気を吸うことにした。西新宿は道幅も歩道も広く、意外に緑も多かった。高層のモニュメントが立ち並ぶ巨大な記念公園でも散策しているようだ。ビル風が涼しく歩と由紀のあいだを抜けていった。ふたりはまだ肩を抱いてもいないし、手をつないでもいなかった。ただ相手の歩く速さにあわせて、肩をならべているだけである。見あげるとどの方向にも窓に虫食いの明かりがついたビルがそびえている。由紀は陸橋の手すりにもたれて、夜風に顔をむけた。

「こうしてると気もちいい。明日からまたがんばるかって気になっちゃうな」

歩は風がさらした由紀の額を見ていた。夜景を背に、そこだけぼんやりと光っているようだった。

「ぼくは結婚式が嫌いだった」

由紀は驚いた顔で振りむいた。歩はしたの道路に視線を落としている。

「五年まえに危うく結婚式をあげそうになったことがあったんだ」

由紀はしばらく黙ってから口を開いた。

「でも、あげなかったんですよね」

歩はさばさばという。

「そう、式の二週間まえに相手に逃げられた。なんだか別な男がいたみたいで、彼女はそいつと今は幸せな結婚をしている。式場のキャンセルに詫び状の郵送とか、ひどくたいへんだった。染谷さんの話をきくまで、結婚式なんてちょっとした涙と笑いをのせたベルトコンベアだと思っていた。だらだらと飯をくってるあいだに、二時間かそこらで即席夫婦が一丁あがりって感じの」

由紀は心配そうに歩を見ていた。

「確かにそういうところもあるけど」

歩は顔をあげていった。

「でも、あの儀式のなかにたくさんの人の気もちがこめられていることはわかったよ。何百万円もかかったり、広瀬みたいなやつが水着で踊ったりするのは、勘弁してほしいけど」

由紀はくすりと笑うと、また心配そうな表情にもどった。

「中台さんは、その人のことまだ好きなわけじゃないですよね」

歩は笑顔を由紀にむけた。

「しばらくはひきずって、抜け殻みたいになってたけど、もうだいじょうぶ。思いだすこともなくなった。顔もわからなくなったよ」

由紀は口のなかでつぶやいた。

「よかった」

気まぐれなビル風が急につよく吹いて、ふたりの髪を乱した。歩は声を張っていった。

「ねえ、よかったら、また会ってくれないか。仕事のぐちでも男がいない淋しさでも、なんでもきくからさ」

由紀は髪を押さえている。前髪に隠れて目の動きは見えなかった。

「いつも暗くなってからじゃないと会えないけどいいですか」

歩はうなずいた。

「うん、いいよ」

「土日だっていっしょにはいられないけど……」

「週末にひとりで街を歩くのは慣れてる。映画館にはひとりでいったほうがいいくらいだ」

由紀は手すりを離れて、歩の正面に立った。あい変わらず姿勢はいい。ぺこりと頭をさげるとまぶしい夜のビルを背にしていった。

「どうもありがとう。わたしのほうこそよろしく」

歩もあわてて頭をさげた。

「こっちこそ、よろしく」

由紀は数歩でふたりの距離を縮め、肩のふれあう位置に立った。指先だけつなぐという。

「でも不思議だな。わたしは誰かの幸せのために働くには、自分の幸せは犠牲にしなくちゃいけないのかなって、このまえの誕生日の夜、半分あきらめていた。そんなときに、こうやってチャンスがくるなんて」

歩は笑い声をあげた。

「ぼくが絶好のチャンスかどうかはまだぜんぜんわからないよ。とんでもない残りもののはずれくじかもしれない。すごいいびきをかくかもしれないし、足だってくさいかも」

由紀はしたから歩の顔をのぞきこんできた。

「そんなことないと思うけど、そうだったら、わたしもいびきをかくようにする。足のほうは心配ないよ。一日中立ちっぱなしだから、わたしのほうだっていつもむくんでる」

歩が指先にすこし力をいれると、由紀もそっとにぎり返してきた。由紀は歩の肩に頭をあずけるといった。

「そろそろつぎのお店いこう。わたし今日はぜんぜんのみ足りないな」

「酒つよいんだね」

「いつもひとりでのんでいたから、だんだんそうなっちゃった。お酒がつよい女は嫌い？」

酔っているせいか由紀はどきりとするようなストレートな台詞《せりふ》をいった。

「嫌いじゃないけど、今日は送っていくから、ぼくは控えておく」

「やった。うれしい、今夜は死ぬほどのんじゃう」

歩の手を引いて由紀が歩きだした。新宿の夜空に星はまったく見えなかった。星々は地上におりて、みなどこかの高層ビルに張りついてしまったようだ。ふたりは明るいビルの谷底を二軒目の店めざし、ゆらゆらと揺れながら歩いていった。

十一月のつぼみ

店の外にハロウィンのお化けかぼちゃを大小みっつほど飾って秋の模様替えは終わった。間口いっぱいあるピクチャーウインドウの右手にかぼちゃの黄色、中央にガラスの自動扉があって、左手には背の高い観葉植物が並んでいた。店先の一番日あたりのいい一角にはひと抱えもあるムラサキシキブが、陶製の花台のうえから紫の実をつけた枝を豊かにしならせている。

中庭英恵《なかにわはなえ》は歩道から飾りつけを確認して、エプロンの横にさげたハンドタオルで手をふいた。別に汚れてはいなかったが、こまめに手をふくのが花屋で働き始めてからの習慣になっていたのだ。いつお客から注文があるかはわからない。英恵は土ぼこりのついた手で切花をさわるのは嫌だったし、その手を客に見せたくなかった。それでなくても花屋の仕事は手が荒れるのだ。

「英恵さん、さすが美大出身ですね。センスがいいなあ」

店のなかからでてきた横田美里《よこたみさと》が飾りつけを振りかえるとそういった。美里はこの園芸チェーンの正社員だが、年上のパートの英恵を大切にしてくれた。花屋は吉祥寺の北口をでて左手に百メートルほど歩いた商店街にあった。ほとんどのテナントがファッション関連の雑居ビルの一階である。店先の歩道と壁は店の負担でレンガ張りになっていた。沈んだ赤に観葉植物の緑がよく映える。小柄な美里がうわ目づかいでにやりと笑っていった。

「今日もくるかな、あの人」

そうだ、今日は土曜日なのだ。英恵は関心なさそうにいった。

「さあね」

「だめですよ。まだ英恵さんは若いんだし、よくだんなさんの愚痴をこぼしてるじゃないですか。たまには息抜きのアバンチュールもしなくちゃ。芹沢《せりざわ》さんてけっこういい男だと思うんだけど」

そういう美里はこの店にくるまえの高円寺店の店長と今でもひそかにつきあっているという。三十五歳で小学校二年生の長男と生まれたばかりの長女がいる冴えない男だ。奥さんとはここ何年もセックスレスだといっていたのに子どもができたときいて、美里は酔っ払ってずいぶん英恵にからんできたものだった。英恵は二十代の独身女性にいった。

「美里さんがつきあえば。年だってぴったりだし、お互い独身同士だし。それに第一あの人には彼女がいるじゃない」

　美里はちいさく首を横に振った。

「わかってないなあ。芹沢さんはこのまえきたとき、英恵さんがいなかったから本屋で時間をつぶしてもう一度出直してきたんだよ。彼女はいるかもしれないけど、英恵さんのことも気になってるに決まってる。だってわたしには花束もつくらせてくれなかったもん」

　芹沢真佐人《まさと》は生命保険会社に勤めるサラリーマンだ。英恵と同じように背が高くやせていて、いつも品のいいカジュアルウエア姿で土曜日になるとやってくる。デートのたびに花を買うなんて口先だけで生きているイタリア男みたいだが、軽々しい雰囲気ではなかった。年の割には落ち着いた端整な印象で、どこかの大学の研究室に残っている院生のようである。年は確か二十七歳、英恵より七つしたで同じ年の彼女がいる。その彼女とはうまくいっているらしい。すべてはこの半年ほどのあいだ、毎週のようにあらわれる芹沢のために花束をつくるわずかな時間で耳にしたことだ。

　英恵は夫の直樹《なおき》と芹沢をくらべてみた。いっしょに並んで歩くなら、英恵と背の変わらない夫より、芹沢のほうがバランスがいいかもしれない。ふたりでどこかのホテルのショッピングモールをすこしおしゃれして歩くのだ。夫とは子どもが生まれてから華やかな場所にでかけたことはほとんどなかった。これからも期待薄だろう。夫はウェブデザイナーとして独立したこの二年ほど、ほとんど休みを取らず仕事に打ちこんでいる。育児もすこしは手伝ってくれるが、英恵よりも軌道にのりかかった仕事に夢中なのだ。

歩道をわたってくる風が急に冷たくなったような気がして、英恵はガラス張りの店内にもどった。


肩からさげたポンプを何度か押しさげて、観葉植物に霧を吹きかけた。コツは葉の裏側から、ほんのすこしだけかけてやること。びしょびしょに濡らしてはいけない。しっとりとするくらいの水分を補給し、葉裏の呼吸作用を高めてあげるのだ。

英恵がオーガスタやアンスリウムのあいだを歩きながら霧吹きをしていると、モーターがうなって自動扉があいた。

「こんにちは」

芹沢が縁なしメガネの顔をのぞかせる。レジのなかにはいっていた美里がわざとらしく声をあげた。

「英恵さん、お客さま、お願いしまーす」

英恵はストラップを肩からおろすと、せわしなく手をふいた。切花の冷蔵ケースを背にしてにこにこと笑っている芹沢に近づいていく。少女マンガなどで主役の背景に花が飛ぶことがあるけれど、あれはこんな感じなのかもしれない。芹沢の笑顔のちょうど後方には、最近人気のスプレー咲きの小振りな白バラのつぼみが無数にほころんでいた。英恵は自分でも驚くほどやさしい声でいった。

「いらっしゃい、芹沢さん。今日はなんになさいますか」

芹沢はあわてたように英恵から目をそらせ、冷蔵ケースのなかに視線を走らせた。

「いつもと同じで英恵さんにおまかせでいいです。でも、そうだな、あまりおおきくならないように茎を短くしてもらって、ちいさな花束にしてもらえますか。全部で三千円くらいで」

「承知しました」

英恵がうなずくと芹沢はケースを離れて、店の奥にある接客用のソファにむかった。英恵はガラスの扉を引いて、先ほどの白バラを選び、すこし考えてから淡いオレンジの中輪のバラを三本ほど抜いた。英恵はたくさんの種類の花を混ぜるのが好きではなかった。バラの花束によくつかわれるカスミソウだっていらないと思うくらいだ。

切花をもって接客カウンターに移動した。正面のソファには芹沢が脚を組んで座っている。二メートルほど離れているだろうか。ちいさな声でも届くけれど、手を伸ばしても届かない。それはふたりが安心して話すことができるちょうどいい距離だった。

茎を思い切って短く水切りして、ブーケほどのちいさな花束をつくる。思いおもいの方向にスプレーのように咲いた白バラのなかに、淡いオレンジのバラを隠すようにあしらった。英恵は手を休めずにいった。

「彼女とはうまくいってるんですか」

こちらが花に集中しているあいだ、芹沢がじっと自分を見ていることを英恵は知っていた。芹沢はつまらなそうにいう。

「どうだか。だらだらと惰性で続いているみたいなもんです。大学時代からずいぶん長いつきあいになるから。それより英恵さんのほうはどうですか。英吾《えいご》くんは元気ですか」

英吾は五歳になる長男だった。今ごろは保育園の砂場で砂まみれになって遊んでいることだろう。英恵はため息をつきそうになった。

「もうちょっと元気じゃなきゃいいんだけど。でも、芹沢さんのガールフレンドは幸せね。毎週のように花を贈ってくれる人なんて、日本の男性にはなかなかいないもの」

「そうですか」

英恵は白いラッピングペーパーに淡いオレンジのリボンを選んだ。ちらりと視線をあげて芹沢に配色を確認する。芹沢は照れたようにうなずいた。英恵はいった。

「わたしなんて最後に花をもらったのがいつか覚えていないくらい。うちの人は結婚記念日もわたしの誕生日も平気で忘れちゃう人だから」

「へーえ、失礼しちゃいますね」

ちょっとむっとした芹沢のいいかたがおかしかった。英恵はリボンをかけながら、くすりと笑った。そうだ、うちの夫は失礼しちゃう人なのだ。目をあげると芹沢もこちらを見て笑っていた。別につきあっているわけでも、好き同士の意思を確認したわけでもない。だが、こうして一週間か二週間に一度、店先で短い言葉をかわすのが英恵には妙に心がはずむ時間なのだった。英恵は芹沢も自分と同じように感じているのを知っていた。そして、お互いにそのことに気づきつつ、この関係とも呼べないような淡いつながりを大切に思っていることも。

「できあがりました。どうぞ」

声をかけると芹沢がソファを立ってカウンターにやってきた。ちいさな花束を手に取ると何度か角度を変えて見つめる。

「とてもいいな。英恵さんらしくて、清楚できりりとして」

英恵にとって自分のつくった花束をほめられるのは、自分をきれいだといわれるよりうれしいことだった。この人はそれが無理なくできる人なのだ。胸のなかがぐらりと揺れたが、英恵は花屋の店員にもどっていった。

「実際のボリューム以上に立派に見せようなんてしなければ、花はみんなきれいなものですよ。消費税をあわせて、三千百五十円になります。いつもありがとうございます」

つり銭とレシートを手わたして英恵は芹沢を見送った。芹沢は振りむきもせずにレンガ敷きの歩道を花束を無造作にさげて歩いていく。気をきかしていた美里がさっとカウンターにもどってきてひじをついた。

「やっぱり花束をもって似あう男の人っていいなあ」

そうねえ、英恵はそういって観葉植物のコーナーにもどった。霧吹きのポンプを肩にして浅い緑の葉裏をそっと湿らせてやる。ぼんやりと葉水をやりながら思いだしていたのは、七カ月まえ、初めて芹沢がこの店にやってきたときのことだった。


あれは三月なかばのことだった。店先ではアイリスやアネモネが盛りだったからまちがいないだろう。英恵は季節を花の種類で覚えていることが多かった。今日と同じ土曜日の夕方、真新しいジーンズに砂色のショートコートを羽織った男性が、あわてて店にはいってきた。しばらく店内をうろうろしてから、冷蔵ケースのまえで立ちどまる。帰りじたくをしようかと思っていた英恵に、その男性が切迫した調子で声をかけた。

「あの、時間がないんですけど、すぐに花束ってできますか」

英恵は気《け》おされて返事をした。

「はい。ご注文がお決まりなら、五分もいただければおつくりできますが」

そうですかと男はいって、切花のケースをにらんだ。英恵には視線をむけずに男はちいさな声でいった。

「彼女の誕生日なんです。どのバラでもいいから二十七本の花束をつくってください」

なんだか怒ったようなものいいが不思議だった。誕生日のプレゼントを買うなら、誰だってたのしい気分になるものではないだろうか。まして相手は恋人なのだ。英恵は二十七歳という年齢を考えて、褐色がかった赤のビロードのような花びらをしたバラを選んだ。

「この花だとお相手のかたにはすこし大人っぽすぎるでしょうか」

水桶のなかからバラの束を抜いて、抱えるように男に示した。男はバラを見てから、英恵を見た。それを素早くもう一度繰り返してから、初めて笑顔を見せる。

「そのバラでいいです。うんときれいにつくってください」

そんなことをいわれたのは初めてだったので、英恵は一度でその客のことを覚えてしまった。男は代金を払うと、高価なバラの花束をコンビニのポリ袋のように気のない調子で手にさげて店をでていった。これからデートにいくというより、決闘にでもむかうような硬い背中をしていた。

だから一週間後にまたその客がやってきて、花びらの先がとがったチューリップの原種を買っていったときには、英恵はすこし驚いてしまった。リピーターになるようには見えなかったからである。男の名前がわかったのは、さらに翌週の三度目の買いもののときだった。花を待つあいだに男の携帯が鳴ったのだ。英恵は手を休めることなく花束をつくりながら、その名を心にとどめた。花は確かオーロラホワイトのディモルフォセカ。ガーベラによく似ているけれど、もうすこし涼やかな南アフリカ原産の花だ。

男の名前は芹沢といった。芹沢がエプロンの胸についた英恵の名前を呼ぶようになるにはさらに一カ月かかった。

秋の装いをすませた花屋の奥で英恵が電話を受けたのは午後五時すぎだった。フラップを開けると、耳元できき慣れた声が困ったように流れだした。

「中庭さんですか、みずほ保育園の尾崎《おざき》です。今日は土曜日なので延長保育も五時までなんですが」

英恵はあせった。

「うちの人が迎えにいく手はずになっているんですけれど」

電話の背後に英吾がべそをかく声がきこえた。ねえ、まーだ、まーだ……。若い保母のおっとりとした返事がもどってきた。

「それではもうちょっとお待ちしてみましょうか」

厳しい園長先生でなくてよかった。英恵は片手でエプロンをはずしながら、きっぱりといった。

「すみません。わたしがすぐにいきますから」

夫の直樹は昨夜も遅くまで仕事をしていた。うっかりしているだけかもしれないし、寝すごしてしまったのかもしれない。遅番のパートも店に顔をだしていた。英恵は事情を美里に説明すると一時間だけ早退することにして、アップにした髪をほどき、軽いカシミアのコートに袖をとおしながら自動扉を抜けた。

タクシーのなかで夫の携帯の番号を押した。英吾の保育園は吉祥寺と三鷹のちょうど中間にある。窓の外を土曜日夕方のどこか華やかな街が流れていった。直樹の声は思い切り不機嫌そうだった。

「はーい」

英恵も厳しい調子で返した。

「わたし。今日はあなたが保育園に迎えにいくことになっていたでしょう」

マウスをクリックする音がかちかちと鳴っていた。夫は電話中も仕事の手を休めていないようだ。

「ああ、もうそんな時間か。この仕事今夜中に直しをいれて、サイトを更新しなきゃいけなくて。昨日もぜんぜん寝てないんだ。悪い、これからでる」

そういわれると怒ることもできなかった。英恵はあきらめたようにいった。

「もういい。今タクシーのなかなの。今日はお店を切りあげて、わたしがいくから」

「そうか、悪い」

まだかちかちとクリックは続いていた。運転手がきいていると思ったが、英恵は抑えられなかった。

「ねえ、今夜直しがあがっても、来週の水曜日につぎの締切があるんだよね」

「そう。やばいなあ」

かちかちかち。夫は電話をもち替えたようで妙に鼻息が荒くなった。

「明日の日曜日だって、英吾とはぜんぜん遊んでやれないんでしょう。この夏休み、おとうさんにどこにも連れていってもらえなかったのは、クラスで英吾だけだったんだよ」

マウスの音がようやくやんだ。直樹はため息をついていった。

「そういわれてもなあ。仕事は待ってくれないし、こっちはフリーランスだから続けて二回は依頼を断れないし、当分このままの感じで続けるしかないんじゃないか。マンションのローンだって先は長いし」

もともとじょうぶなほうではない直樹の身体がほんとうは心配だったが、もうなにをいってもしかたないと英恵は思った。心のなかでため息を押し殺していう。

「もうすぐ保育園だから、あとで」

「うん」

携帯を切った。まだ保育園まではだいぶ距離を残していたが、これ以上電話で話すのが嫌だったのだ。自宅から歩いて七、八分の園まで長男を迎えにいく順番で、お互いにいらいらと気を立てたりする。夫婦ふたりだけで暮らしていたころには想像もできなかった事態だ。確かに子どもはかわいかった。ひとりっ子だからなおさらなのだが、急に家庭というものの存在が重くなってきたのは、やはり英吾ができてからのことである。たくさんのおもちゃを投げ散らし、始終なにか叫んで広くもないリビングを駆けまわる五歳児と、起きている時間のほとんどをディスプレイに張りついてすごす夫。一日にほんの数分さえ自分をちゃんと見ようとはしないかつての恋人。

英恵はこのままタクシーでどこか別な世界に走り去ってしまいたかった。

翌週の金曜日は英恵と直樹の七回目の結婚記念日だった。当然のように直樹からはなんのプレゼントもお祝いの言葉もなかった。その週は平日の五日間のあいだに二度も徹夜作業をこなしているのだから、夫にはプレゼントを買いにでかける時間も、そんなつまらないことにまわす余力もなかったのだろう。一年に一回のことなのに。

直樹はまた深夜まで仕事で、英吾は電池が切れたように眠りこんでいた。英恵は広いダブルベッドでひとりきり、パジャマ姿で横になり考えた。

このままでは生活に疲れて、自分はどんどん乾いていってしまう。今の暮らしにうるおいを与えてくれるものがどこかにないのだろうか。贅沢《ぜいたく》はいわない。全身が幸せの雨に打たれなくていいのだ。わたしが植物たちに葉水をかけてやるように、ほんのわずかな水分をくれる人はいないのだろうか。しっとりと心のおもてがやわらかになるような霧のひと吹きでいい。子どもがいて普通の結婚生活を送っている女がそんなことを望むのは、それでも贅沢すぎるのだろうか。

こたえなどでるはずがなかった。眠りにつくまえに、最後に英恵が思いだしたのは翌日の午後にきっと店にやってくる芹沢のことだった。花束をつくっているあいだ必死に自分を見つめる視線。肌の表面から熱を奪っていくような視線の冷たい心地よさが、夫には徹底的に欠けているものだ。

あの白くて冷たい霧のような目。それを思いだしているとなぜか英恵の心は落ち着くのだった。

翌土曜日の午後、英恵がバラのとげを抜いていると芹沢があらわれた。まえの晩に芹沢のことを考えたせいか、英恵はまともに顔を見ることもできなかった。芹沢は繊細なのだろう。すぐに英恵の空気が伝染したようだった。視線を一度もあわせることなく、困ったように冷蔵ケースのまえに立つ。今度は英恵が安心して芹沢を見つめる番だった。

カラシ色のコーデュロイのパンツにモスグリーンのフィールドコート。毛皮のついたフードが、長い首のうしろにたれている。芹沢には少年のような格好がよく似あっていた。

「あのツバキみたいな花はなんですか」

バラの水桶が並ぶ一角を指さした。英恵はケースの扉を開けて、数本抜いて見せる。目があうとその日初めて芹沢はほほえんだ。

「これもバラの一種なんです。花びらがひと重咲きになっていて、豪華というより軽くて可憐《かれん》でしょう。けっこう人気があるんですよ」

「それじゃ、今日はそれにしてください。いつものとおりで」

そういうと芹沢は安心したように店の奥のソファにむかった。英恵は淡いピンクのひと重のバラを形をそろえて選んだ。花を抱えてカウンターに移動する。美里が近所のブティックに配達にいっているので、店のなかはふたりきりだった。気兼ねなく芹沢の視線を浴びることができるのだ。そう思うとあまりに露骨な気がして、英恵は頬を花の色と同じに染めた。

茎を短めに切り、ゴムバンドでしっかりとめる。芹沢は英恵の胸元を見ているようだ。長男の授乳を終えてからすこししぼみ加減の胸。とてもじかに芹沢に見せることなど考えられなかった。胸騒ぎを悟られないように英恵はいった。

「先週いったとおりになりました」

芹沢には意味がわからなかったようだ。黙ってこちらを見つめている。

「昨日、わたしたちの結婚記念日だったんだけど、きれいに無視されちゃった。失礼しちゃいますね、うちの人」

濡らした脱脂綿で茎の根元をくるみ、そのうえからアルミフォイルを巻いた。

「ほんとうに失礼な人だな……」

芹沢の声は冗談をいっているようにはきこえなかった。言葉を切って、なにかいいにくそうにしている。不思議に思って英恵は目をあげた。ひどく真剣な目で芹沢はソファから見あげてくる。胸のなかまで見透かされそうな目つきだった。芹沢は力のこもった視線を動かさずにいった。

「それじゃ、その花束をぼくからのプレゼントにします。近くのうちに配達するといって、自宅にもって帰ってください」

英恵はうれしいというより、びっくりしていた。

「でも、芹沢さんの彼女のほうはいいんですか」

芹沢はひざのうえで組んだ両手を見おろして、ひとりで笑った。

「いいんです。最初にこの店にきたときのやつが、彼女に最後にわたした花束です。あの日はさよならをきちんというためのデートだったから。永すぎた春って、歌のなかだけじゃなくほんとにあるんですね」

あの二十七本のバラはそんなふうにつかわれたのか。英恵は休めていた手をゆっくりと動かし始めた。芹沢はいう。

「だから、そのあとの花束は全部自分の部屋に飾りました。それ以外に英恵さんと話ができる方法を思いつかなくて。でも、毎週違う花が飾ってあるってけっこういいものでしたよ。この七カ月ほんとうに楽しかった」

深呼吸でもしなければ倒れてしまいそうだった。自分の手がふるえているのを芹沢が気づかなければいいのだが。

「そうだったんですか」

あたりまえの返事しかできない自分が嫌になる。芹沢は胸ポケットから万年筆を抜いた。

「花束につけるメッセージカードってありますよね」

英恵はうなずいてレジの横にある引きだしから一枚抜いた。カウンターに滑らせる。芹沢がソファから立ちあがり、こちらにやってくるときには思わず息をとめていた。芹沢はカードをさらうと、ソファに帰っていく。なにもされなかったことに安心したが、それが惜しいような気もちにもなった。芹沢は万年筆でカードになにか書きこむと、もどってきてカウンターにおいた。目をそらせていう。

「その花束につけるカードです。返事はいりません。うちに帰ってから読んでください」

英恵はうなずいて、完成した花束を胸にかかげて見せた。心のうちを伝えることができた満足感か、芹沢は安心してやわらかな笑顔をつくっていた。

「いいですね。ひと重咲きのバラって英恵さんみたいだ。飾りすぎていなくて、心が休まります」

どうもありがとうといって、英恵はレジを開けた。どんな風に精算したのかは覚えていない。芹沢はすぐに店をでていったが、英恵は美里がもどるまでずっとカウンターのうえにおかれたバラの包みを見つめていた。自分でつくった花束なのに、どこか空のうえから降ってきたもののように感じられた。

ひと重咲きのバラにわたしが似ている？　そんなことはもう一生いわれることはないと思っていた言葉だった。芹沢のいうとおりカードには手をつけずに、英恵はいつまでも予期せぬ贈りものを見ていた。


その日の夕方、自宅のマンションにつくまでメッセージカードは手つかずのままだった。オートロックを抜けて、エレベーターでうえにあがる。英恵は自分の部屋の扉のまえで、ようやくバラの花束のあいだにとめられたカードを取った。

スチール扉のむこうから土曜日の子どもむけアクション番組がきこえた。英吾は五歳の男の子らしく変身ものが大好きだった。効果音と主役のハンサムな俳優がなにか叫ぶ声をききながら、英恵は玄関先に立ってカードを読んだ。

「明日は仕事もお休みですね。午後二時、井の頭公園のボート乗場に近いほうの入口で待っています。三十分待ってきてもらえなければあきらめます。Ｍ・Ｓ」

何度読んでも文章は同じだった。胸の鼓動が静まるのを待って、英恵はカードをコートのポケットにいれると深呼吸をして玄関の扉をひいた。


土曜日の夜はゆっくりとすぎていった。夕食を終えると夫はまた仕事にもどり、英恵といっしょに入浴をすませた英吾は大好きな格子柄のタオルをもったまま、床の隅で倒れるように眠ってしまった。英恵は二十キロ近い体重のある息子をなんとか抱きかかえて子ども部屋に運び、誰もいないリビングルームにもどった。

キッチンシンクの隅に立てかけておいたバラの花束を手に取り、リボンをほどく。結婚するまえの誕生日に夫がプレゼントしてくれたスペイン製の花瓶をシンクのしたから取りだし、ほこりを払った。毎日のように花を売っているのに、中庭家に花があるのはめずらしいことだった。

適当に長さをばらつかせながら、ひと重のバラを水切りした。英恵はじっとしたまま考えごとをするのが苦手だった。手を動かしながらのほうがよく頭がまわるのだ。特に今回のように胸が騒ぐ件では、静かにしてなどいられなかった。

肉厚のガラスの花瓶にバラを活けるとダイニングテーブルの中央においた。テーブルのまうえにあるペンダントライトだけ灯《あかり》をいれ、英恵は数歩離れて花を見た。ひと重の花びらのやわらかな影が明るいオーク材の天板のうえに落ちている。このバラに自分が似ているなんて、芹沢はどうかしているのだと思った。

それ以上にどうかしているのが仕事中毒の夫である。この花束を見てもなにもいわなかったのだ。英恵はそのときのためにいいわけも考えていたのだが、そんなことをする必要もなかった。今の夫には英恵がなにをしても関心はないようだった。

明日の午後二時、いったい自分はどうすればいいのだろうか。じっとしていられなくなった英恵は、クレンザーを手に久々のキッチンの大掃除に取りかかった。

日曜日は朝からよく晴れていた。目を覚ましてから、どきどきする思いで天気を確かめるなど、英恵には久しぶりのことだった。むこう側の青さを透かす淡い雲が掃くように高い空を流れている。英恵の気もちはまだ固まっていなかった。

遅い朝食の用意をしながらまだ迷っていた。テーブルについても同じである。ひと重のバラは朝になっても凛《りん》とした美しさを崩していない。花を見るたびに英恵の胸は躍った。トーストをかじりながら夫がいう。

「今日は夕方までになんとかひと仕事終わりそうなんだ。夜はどこかに飯でもくいにいこうか」

スクランブルエッグをかきこんでいた英吾が歓声をあげた。駅まえのファミリーレストランの名前を叫ぶ。幼い子ども連れでは食事をする店は限られていた。

「スパゲッティとエビフライとチョコアイス、スパゲッティとエビフライとチョコアイス」

英吾は何度もそう繰り返しながら、バターつきのトーストを半分に折って、まんなかからたべていた。英恵は花瓶を見てから長男と夫を見た。ふたりとも寝癖がひどく、髪はぼさぼさだ。英吾はケチャップつきの卵を皿の外に盛大にこぼし、直樹はTシャツの胸をぼりぼりとかきながらテレビを横目で見ている。これがわたしの家族なんだと英恵は思った。そのとき口からでたのは、自分でも意外な言葉だった。

「今日の午後、吉祥寺に買いものにいってくるから、帰ってきたらいきましょう」

プロ野球のストーブリーグ情報を流す番組に夢中の直樹は、どうでもいいようにうなずいた。英吾はまだチョコアイスと叫んでいる。

日曜の朝の心あたたまる家族の光景に英恵は心底うんざりした。

いつもの倍の時間をかけてていねいに化粧をした英恵は一時すぎにマンションをでた。

吉祥寺駅の南口についたのは約束の時間の十分まえである。ふわふわと空気を踏むような気もちで駅まえの雑踏を抜けて、公園に続く階段をおりていった。芹沢に会ってなんというか、まだ英恵は迷っていた。

三人連れの家族とすれ違った。英恵は男の子に笑いかけた。男の子は英吾と同じ年くらいで、歌をうたいながら勢いよくのぼってくる。英恵に気づくとおおきく手を振った。うちの子は英恵の名前から一文字取って、英吾と名づけたのだった。その名前がいいといったのは夫の直樹だ。英という字はバランスも音の響きもいいし、大好きな文字だからと。

英吾の寝顔と仕事をする直樹の背中を思いだして、英恵はくすりと笑った。それから自分でも驚いてしまった。口元にはまだ笑いが残っているのに、急に泣きそうになったからである。

ゆるやかな階段が終わり、屋根のように張りだした緑のしたで芹沢は待っていた。英恵はにっこりと笑い、背筋を伸ばした。芹沢はいった。

「きてくれるとは思わなかった。急でしたから」

英恵はうなずいていった。

「芹沢さんを三十分も待たせてしまうのは気の毒だから」

ふたりは池をめぐる遊歩道を肩を並べ歩きだした。フィギュアスケートのペアダンスのようだった。ゆっくりとだがいつも相手のスピードに気をつかいながら歩いていく。英恵は遠くのボートを見た。勇気のある大学生のカップルがのっているようだ。この池のボートにのると必ず別れるという噂がこの沿線では有名である。

英恵は緑の水面をゆっくりと揺れながらすすむボートを眺めていた。始まったものにはいつか終わりがくる。だが、別なことを始めるためには、先に終わらせておかなければならないものがある。それはまだ英恵には終わらせることができないものだった。英恵はまっすぐにまえを見ていった。

「毎週のように花を買いにきてくれるのはとてもうれしかったです。いつも短い時間だったけれど、芹沢さんとお話しできて楽しかった」

芹沢は英恵の声の調子になにかを感じたようだった。黙ってとなりを歩いている。足元で枯葉を踏む乾いた音がした。英恵は一歩先にでて背中ごしにいった。

「でも、こうしてお店の外でお会いするのは今日だけにします。芹沢さん、ごめんなさい。この池を一周したら、わたしは家に帰ります」

芹沢はうなずいたようだった。

「そうですね。それが一番いいのかもしれない。英恵さんには帰る家があるんですよね。ご迷惑をおかけしました」

迷惑なんかじゃない。英恵はいいたかった。あなたはわたしの心がからからに乾いてひび割れそうなときに、たっぷりと水分を贈ってくれた。感謝しているのはこちらのほうだ。芹沢はふっ切れたようにさばさばという。

「急な転勤の辞令がでて、来月から秋田市にいくことになりました。生保業界は転勤が多いんです。だから最後にきちんとお会いして気もちだけでも伝えておこうと思って。でも、ぼくのわがままでした。英恵さんがつくってくれた花束を部屋に飾れなくなるのが、これからはちょっと淋しいです」

ふたりはそれから三十分ほどかけて、ゆっくりと池をめぐった。家族のこと、友人のこと、学生時代の思い出。もう何度も誰かに話したことを、初めて話すときの新鮮さで伝えあった。自分の話をこんなふうに集中してきいてくれる誰かがいるのが、英恵はただうれしかった。だが、楽しい時間は駆け足ですぎてしまう。どれほどゆっくり歩いても、先ほどの出入口はやってきてしまう。最後の数十メートルをふたりは無言のまま歩いた。自分の名残おしい気もちは、芹沢にもきちんと伝わっていると英恵は思った。

ふたりは枯葉の散らばる階段を見あげた。芹沢は緊張した顔でいった。

「ぼくはここに残って、もうすこし頭を冷やしていきます。今日はどうもありがとう」

そういって手をさしだした。英恵は階段を見あげてから、芹沢を見た。冷たい手を取って、指先だけそっとにぎる。

「わたしのほうこそありがとう。いつかまた花束をつくらせてくださいね」

英恵は芹沢の目を見た。秋の盛りの公園がすべて目のなかに吸いこまれていくようだった。男の人の目を見て、これほど切ない気もちになることは、もう一生ないかもしれない。でも、きっとこれでいいのだ。糸を引くように指を離す。英恵は咲かせることのできなかった白いつぼみを一輪胸の奥に抱えて、階段をゆっくりとのぼった。

だが、毎日のように花を扱う英恵は知っている。花は決して咲いているときだけが美しいのではない。花には花の、つぼみにはつぼみの美しさがある。

いつかこのつぼみを咲かせるときがくるまで、大切に残しておこうと思った。その日はきっとやってくる。

声を探しに

日根野浩子《ひねのひろこ》は自分の性格の半分は、この変わった苗字でつくられたと思っていた。ひねたヒロコ、ひねくれヒロコが小学校低学年からのあだ名だったのである。いくら素直ないい子でもいつもひねくれ者といわれていれば、いつかは実際にひねくれてしまうものだ。名前には魔法の呪文のような力があって、呼び名のとおりの性格に人を深いところから変えてしまう。もっと素敵な苗字だったらよかったのにと、浩子は子どものころからよく空想していた。朝香《あさか》とか綾波《あやなみ》とか安曇《あずみ》とか、あこがれの苗字のコレクションは「あ」の音だけでもずいぶん長くなっている。

母親に苗字のことで文句をいうと、いつか浩子も結婚するんだから、苗字だって変わってしまう、それまでの辛抱よとよくいわれたものだ。だが、あれから二十数年、三十三歳になった現在も、結婚どころかボーイフレンドの影さえない生活を送っていた。最後にエッチをしたのがいつのことか、よく思いだせないくらいなのである。とにかく出会いの機会が極端にすくないのだ。

浩子が勤めるのは東銀座、歌舞伎座裏にあるちいさな広告プロダクションだった。社名はアドハウス・アッシュとしゃれているが、社員は十人をでたりはいったりという零細企業である。経理の人間は浩子ひとりで、同じ部屋のなかにはいつも金策に駆けまわっている社長の早田《はやた》と、どこで仕事をしているのかさっぱりわからない営業の桜井《さくらい》しかいなかった。

廊下をはさんだ制作部の部屋には若いデザイナーやコピーライターがいるのだが、昼近くに出社しいつも終電間際まで残業しているクリエーターたちは、事務職の浩子とは別世界の存在だった。ほかに毎日顔をあわせるのは出入りの冴えない営業マンと銀行の窓口係くらいのものである。これはと思う男性など、一年に一度として遭遇しなかった。もっともそんなとき浩子は、きっとうまくいかないに違いないと思いこんで、自分からアクションを起こそうとはしなかった。だって「ひねくれヒロコ」なのだ。恋愛の神様だって素直にチャンスをくれるはずがない。

アッシュのはいっているオフィスビルは築三十年近くで暖房のききが悪く、浩子は冬のあいだいつもひざに灰色のフリースブランケットをかけ、肩に黒い大判のショールをのせていた。そんな格好から若いデザイナーの女の子がつけたあだ名を浩子は知っていた。

経理のけちんぼ魔女。

　ふん、よくいってくれるじゃないの。「ひねくれ」がつかないだけましだったが、安月給だって払えるのが奇跡という財務状況が、うちの会社はこの数年続いているのだ。経費にうるさくなるのは当然のことだった。

　そんな浩子の声がどこかにいってしまったのは、成人の日もすぎた一月なかばのことだった。


　その朝、ひとり暮らしの部屋で目を覚ますと、身体が熱をもっているようにだるかった。のどの調子もなんだかおかしい。だそうとしても声がでないのだ。話すこともできないので、会社にはインフルエンザで休むとファックスを送り、買いおきの風邪薬をのんで浩子は終日ベッドでごろごろしていた。録《と》りだめしていた連続ドラマ（ラブストーリーではない）を観たり、ボウルにたっぷり湯を張って洗面台をぴかぴかに掃除してみたり、これはこれでけっこう楽しかった。

　つぎの日になって熱はさがったのだが、依然としてのどの様子が変だった。声はまだでない。だが、この時点でも浩子は風邪の影響が残っているのだと単純に考えていた。会社にはのどを痛めて会話ができない、もう一日休むとファックスして、午後一で近くの診療所に丸々と着ぶくれてでかけていった。六十すぎのおじいちゃん先生の名前がついたちいさな町の内科医院である。白髪の医師はペンシルライトでのどの奥を確認するといった。

「おかしいですねえ。咽頭《いんとう》には炎症がありませんねえ」

ねばるような口調である。浩子はいらいらしながら年代ものの丸椅子に座り、ノートにサインペンを走らせた。声がでなくなってみると、筆談しかコミュニケーションの方法がなかったのだ。

［そんなはずはないです。風邪のせいに決まってます］

医師は老眼鏡をかけ直すと手元のカルテになにか書きこんだ。

「でも、あなた、今ののどは痛くないでしょう」

確かにのどに痛みはなかった。唾液をのんでも、食物をたべてもそれは同じだ。扁桃《へんとう》腺《せん》をはらしたときのような異物感もない。浩子はしかたなくうなずき、サインペンのキャップを取った。

［ほかになにか原因は考えられないんですか］

医師はちらりと目をあげて、老眼鏡のうえから浩子をのぞきこむように見た。なんだかいじわるなワシのような顔である。

「あなた、最近失恋とかなさってませんか。あるいは、仕事がひどくいそがしくて休みを取っていないとか」

失恋などもう前回のオリンピックよりも昔の話だった。経理の仕事はいそがしいけれど、それはこの何年も変わらないペースだ。浩子はゆっくりと首を横に振りながら、新しいページに書いた。

［思いあたることはぜんぜんないんですけど」

「そうですか、よわりましたねといって、医師はカルテにまたなにか書いている。浩子を見ずにいった。

「念のために心療内科で診てもらったらどうですか。あなたの症状では、うちはお薬はだせないんですよ」

心療内科という言葉に浩子はびっくりしてしまった。肉体的にも精神的にもタフなだけが取り柄の自分が心の病気を診てもらうなんて。年老いた医師は受付に声をかけた。つぎの患者さんを。それから、とりなすように浩子にいう。

「一応診てもらうだけですから。のどに異状がなければもしかしたら心因性の理由で声がでないのかもしれない。まだわかりませんけどね。肉体的にはおかしくないのだから相談してみるといいですよ」

乾いた目でじっと浩子を見つめている。もしかしたらわたしは重病なのかもしれないと浩子は思った。のどに指令をだす脳の一部に腫瘍ができたとか、脳と声帯を結ぶ神経がどこかで断裂してしまったとか。悪いほうへの連想は浩子のお手のものだ。声を失う四つ目の致命的な病因を想像してから、困ったような医師の視線の意味に浩子はようやく気づいた。つぎの患者が待っているから、丸椅子を早く空けてほしいだけなのだ。
人がこんなに悩んでいるというのに、なんて失礼なのかしら。

帰り道、マフラーに顔を埋めて浩子は泣きたくなってしまった。両親は宮崎の実家にいて、すぐ呼ぶことはできない。仲のいい友人はみな浩子と同じＯＬで、ウイークデイの午後は身体が空いていない。そうなると心療内科にいくにも電話予約さえ取れないのだった。いきなり押しかけて筆談で診察を申しこんでもちゃんと受けつけてもらえるのだろうか。浩子は自分が東京という他人同士の寄せ集めの街でひとりきりだと痛いほど感じた。

普段それがわからなかったのは、気心の知れた誰かと退屈や楽しみを分けあうために、たくさんのむだな言葉を交わしていたからなのだ。ふざけたりじゃれたり、立派でもなくあまり意味のない話題をしゃべり散らす。普段着の会話のありがたさが身に染みるのだった。言葉をつかえなくなってみると、とたんに周囲のすべての人から切り離されてしまう。コンビニでお弁当を買って、電子レンジであたためますかときかれても、首を振るだけで返事さえできないのだ。

北風に背を押されるように武蔵小山の商店街を歩きながら、浩子はとことん孤独だった。恋人や若い男たちだけでなく、いつもあたりまえのようにつかっている日本語さえ自分を離れていった。このままなにも話せずに残りの人生をすごさなければならないとしたらどうしよう。マンションへの帰り道、浩子はコートのポケットのなかで小型のノートを汗がでるほどきつくにぎり締めていた。

救いは意外なところからやってきた。会社を休んで三日目、どうやって心療内科にいこうか悩んでいた昼まえに自宅の電話が鳴ったのである。浩子が受話器を取るといつものように醒《さ》めた声がきこえた。

「もしもし、日根野さんですか。桜井です」

はあはあはあ。荒く吐く息でしか返事ができない。これではまるで変質者の電話じゃないか。浩子は黙ったまま顔を赤くしていた。桜井はなにごともないようにいう。

「ああ、そうでしたね。風邪をこじらせて声がでないんですよね。じゃあ、これから質問しますから、イエスなら一回、ノーなら二回受話器を軽くたたいてください」

そんな手があったのか。ふたつ年しただが、営業の桜井はなかなか鋭いと思った。受話器をもっていないほうの右手の中指で、コードレスホンの送話口近くを一回たたいた。コツン。自分の耳元でも意外とおおきな音がする。

「武本印刷の振込はもうすんでいますよね」

コツンと指一回。

「星美堂の手形はもう割ってもらってありますか」

コンコンと指二回。

「はい、わかりました。じゃあ、お大事に」

浩子はあわててはあはあと息をして、でたらめに受話器をたたいた。桜井は不思議そうにいう。

「なにか困ったことでもあるんですか」

コッツン。

「たべものがないとか」

コンコン。電話で口がきけないのがこんなにじれったいものだとは思わなかった。ひと言うちにきて、助けてほしいといえばすむことである。桜井はのんびりといった。

「とにかくなにか困ったことがあるんですね。じゃあ、今日は芝居の予定もないし、帰りに寄ってみます。住所はこっちで調べます。近くの駅についたら電話しますから」

なんだか面倒くさそうに通話が切れた。それでも浩子はありがたかった。誰かがこの部屋まで自分の声の代わりをしにきてくれるのだ。週の半分は小劇場に通う芝居狂いの桜井の予定が今夜たまたま空いているなんて、公演をしていないどこかの人気劇団に感謝したいくらいだった。

夜七時まえに桜井はやってきた。玄関のドアを開けると、両手に白いポリ袋をさげたチャコールグレイのスーツが立っている。コートは黒だった。いつもの桜井のユニフォームで、この色の服しか着ないのだ。シャツは白、ネクタイは黒に銀に白。黒子《くろこ》のように徹底して無彩色だった。

近所の百円ショップで買ったちいさなホワイトボードに、マーカーででかでかと、どうもありがとうと書いて、浩子は待ちかまえていた。エアソールの革靴を脱いで、桜井はいった。

「声がでないのはほんとうみたいですね。なんだか、顔色は元気そうだけど」

浩子は短い廊下を奥のリビングに案内した。さして広くはないのだが、築年数が古いだけゆとりのある間取りで、ワンルームでないのがお気にいりだった。家主にはつぎの契約更新のときに買い取りしないかといわれている。

桜井はハーフコートを脱ぐと、ソファのひじかけにおいた。足元のポリ袋からは白がゆのレトルトやミカンがのぞいていた。さして関心なさそうに女のひとり暮らしのリビングを見まわして口を開いた。

「電話で困っているみたいだったけど、どうしたんですか」

同情など感じられない、会社の同僚の調子だった。浩子はセンターテーブルの脚元に座りこんで、一気にホワイトボードに書きこんだ。

［医者に診てもらったけれど、原因は風邪じゃないらしい。精神的な理由から声がでないのかもしれないから、心療内科にいって相談したほうがいいって］

桜井は眉を寄せて文章を読んでからあっさりといった。

「ああ、身体表現性障害ってやつですね」

浩子は小指ほどの長さのスポンジでボードをぬぐうと、すぐにマーカーを走らせた。今度は短いからすぐだ。書き終えると桜井の顔のまえにつきだすようにかかげる。

［それ、なに？］

桜井は困ったようにいった。

「そんなに顔に近づけなくても読めますよ。昔どこかの劇団のこむずかしい芝居で観たことがあるんです。過剰なストレスに身体のほうが悲鳴をあげて、普段ならなんでもないことができなくなっちゃう症状です」

浩子は空いているボードの隅に書き足した。

［声がでなくなったり］

「ええ、そんなこともあるみたいです。その芝居では身体の右半分だけが動かなくなるんですけど」

そんなものが舞台劇になるのだろうか。興味をひかれて浩子は書いた。

［それで、どうなるの］

桜井はなんでもないようにいう。

「オチは単純でした。右半身不随になった妻と不倫をしている夫が同じベッドで寝ているんですが、実は夫は妻の右どなりに寝ていた。妻の夫への拒否反応が身体の右半分の麻痺という形であらわれたというわけ。まあ、そんなところです」

さらりと脂気のない髪が額にかかっていた。床に座り見あげるようにすると、会社ではつかみどころのない桜井の顔立ちがひどく繊細そうに見えた。口ではいえないことも、なぜかホワイトボードだと無理なく書けてしまうのが、浩子には不思議だった。

「桜井くんて、頭いいね。尊敬しちゃう」

桜井は肩をすくめた。

「尊敬しなくていいですよ。どうせぼくはただの観客だから」

意味がよくわからずに浩子はマーカーの手を休めていた。桜井はテーブルのうえに用意してあったタウンページに手を伸ばした。あらかじめ浩子が付箋《ふせん》をつけておいたページを開く。

「さっきから気になっていたんです。電話できないのに電話帳なんてどうするんだろうって。心療内科、武蔵クリニック。ここに電話をすればいいんですね。予約はいつにしますか」

浩子はぼんやりと桜井を眺めていた自分に気づき、はっとした。灰色のスーツを着た王子さまでも見るような目で見ていなかっただろうか。あわててマーカーを走らせたので、字がおかしくなってしまった。

［明日の朝十時でお願いします］

桜井はてきぱきと電話をかけた。声がでないのだが風邪の症状はなく、近くの内科医に心療内科にいくことをすすめられたと簡潔に説明する。この人は会社ではぼんやりした振りをしているだけなのだろうか。その夜はやけに手際がよかった。予約の電話を終えるとさっとソファから立ちあがった。

「じゃあ、ぼくはこれで」

もうすこしゆっくりしていったらと書くひまもなく、桜井は玄関にいってしまった。廊下を歩きながら浩子は書きなぐった。

［このお礼はいつかするね。どうもありがとう］

「うん、いつかね」

桜井はコートに腕をとおしながら手を振り、玄関をでていった。がちゃりとおおきな金属音がして浩子は急に寒々とした部屋にひとり残された。リビングにもどり、桜井の見舞いのポリ袋をあらためる。白がゆ、梅干し、具だくさんのコンソメスープ、モモの缶詰と赤いネットにはいったミカン。ミカンのオレンジ色ってこんなにみずみずしかっただろうか。あわせてたっぷりと二日分はある食料だった。こんなにまとめて買いだしをしてくるくらいなら、今夜の晩ご飯をこの部屋でたべていけばいいのに。浩子はキッチンにいくと、レトルトの白がゆをあたためるためにミルクパンに水を張った。

浩子が会社にいったのは四日目の午後のことだった。午前中に寄った心療内科のクリニックでは、若い女性の医師にあっさりといわれた。

「日根野さんのような症状は心因性失声といいます。ボーイフレンドのいうとおりね。昔はヒステリーって呼ばれていたんだけど、今は身体表現性障害の一分野です」

桜井とはそんな関係ではなかったが、浩子はまんざらでもない気分だった。ほかにもいろいろな症状があるのかと筆談できくと、ぴっちりと化粧をした医師はいった。きれいだが肌が妙に荒れている人だ。

「ええ、ものが見えなくなったり、手足が動かなくなったり、無痛症になったり。セックスのとき不感症になる人もいます。まず原因になっている不安やストレスを見つけて、解決法をゆっくり探しましょう。日常生活には困るだろうけど、声がでない分、まわりの人が気をつかってくれるから、日根野さんへの負担は軽くなります。ここは無理せずに甘えちゃいましょうね。ところで最近ひどく傷ついたことありませんか」

浩子には思いあたることはなにもなかった。首を横に振る。医師はいった。

「いいんですよ。身体表現性障害は若い女性のあいだでとても多い症状なんです。特別なことでも、重大な病気でもありませんから、ゆっくりとカウンセリングして治していきましょう」

だが、浩子はゆっくりしているわけにはいかなかった。会社勤めを続けなければ、部屋代だって払えないし生活していくこともできなかった。経理で数字を扱っているだけなら口をきくこともなかったが、それでは営業の部屋にまわってきた電話さえ取れないし、入出金の報告を社長にすることもできなかった。

事情を説明した手紙を社長にわたすと、浩子は午後のあいだ、たまっていた伝票を片づけ、ひたすら桜井が外まわりからもどるのを待った。社長は資金繰りで頭がいっぱいで、浩子の症状など気にもならないようだ。四時半すぎに出先からかえった桜井の顔を見たとたん、浩子はホワイトボードをつきつける。

「今夜はなんでもごちそうするから、ちょっとつきあって。相談もあるし」

桜井は困った顔をする。

「今日は大人計画の公演があるんだ。ようやく取れたチケットなんだけど」

浩子は両手を頭のうえで重ねて雨乞いをする人のように頭をさげた。声がでないだけで、こんなに感情表現が豊かになるなんて自分でも意外である。桜井はため息をついていった。

「はいはい、わかりました。今夜は再演ものだから、まあいいや。じゃあ、このまえのさしいれ分も取り返しに、寿司でもおごってもらおうかな」

女だって三十代で、銀座のOLともなれば、それほど高くなくてもネタのいい寿司屋の一軒くらい知っていた。浩子はにぎりこぶしで胸をたたいた。桜井は笑っていう。

「大船にのったつもりでまかせておけ」

浩子もほほえんでうなずいた。筆談につきあってくれるなら、それくらいの出費は痛くもかゆくもない。声をなくしてしまった今、浩子は会話に飢えていたのだ。

白木のカウンターにむかい、ぬる燗《かん》で乾杯すると浩子はさっそくホワイトボードを取りだした。にぎりはおまかせで頼んでいる。最初は白身魚のお造りだった。浩子は書いた。

「声をなくした原因はやっぱりストレスか不安なんだって。でも、ぜんぜん心あたりがないんだ」

桜井はちらりとボードを見て、むこう側が透けて見えるサヨリをひと切れつまんだ。

「そうなるとちょっとたいへんだね」

「どうして」

桜井はにこりともせずにいう。

「理由がわからなければ、そのストレスを軽くする方法がわからない。声がでない状態が長引くことになる」

不安とストレスか。浩子は自分のおかれた状況を考えてみた。三十三歳、独身、貯金は心細いくらい少々。ボーイフレンド、恋人ともになし。仕事はキャリアアップなど考えられない零細企業の事務職。友達はみんないい子だが、貯金額と同じくらい少々。性格はひねくれ者で、身体はいくらたべても太らない代わりに電柱のように起伏がなかった。それでも恐ろしいことに、ない胸や尻だって三十をすぎると垂れてくるのだ。浩子は深くふかくため息をついた。ボードに書く字もなんだか元気がなくなってしまう。

[不安はありすぎて、書ききれないくらい」

それからハガキ大の備前の皿にのった刺身をさっさと片づける桜井を見つめた。刺すように皮肉だがいつも軽やかで、それでいて案外あたたかなところもあって、まるで不安など感じさせない人だった。それまで浩子の知らなかったタイプである。素直に書いた。

[桜井くんは、ぜんぜん不安なんてなさそうだね」

桜井はスライスしたみょうがのつまでたいらげると、あっさりという。

「うん、ない」

浩子は小首をかしげて桜井を見た。それだけできたいことがわかったようだ。

「だって自分のことはあきらめてるから。大学をでて世のなかを見て、もう八年になる。

会社のなかでどんなことができるのか、自分でもよくわかったよ。それはたいしたことじゃないし、会社という場所に自分がうまくフィットしないということもわかった。もうこれからは、どひゃーといいことも、ロマンチックなことも起こらなくなるんだ。年を重ねていくだけだ。期待なんかしないほうがいい。そうすれば不安もなくなる」

なんだか浩子には納得がいかなかった。桜井の賢さや繊細さはどこか別な場所を得れば、もっと輝くような気がしたからだ。どう書いたらいいのかゆっくりと考えて、ホワイトボードにマーカーを走らせた。

［この会社のつぎのステップを考えていないの］

桜井はななめに銀のはけをつかったような丸づけのコハダをやさしく見おろしていた。

「きれいなお寿司だね。たべるのがもったいなくなる。たぶん何年かすれば、ちいさな広告プロダクションを自分で始めるくらいのことはできるかもしれない。でも、がんばってそうしたところでうちの社長みたいに資金繰りに苦しむのは目に見えてる。今だってこのドクター・マーチンを年に三足はき潰すんだ。責任も重くなるし、あまりいい仕事とは思えないよ」

ちいさな会社で資金をまわしていくことのたいへんさを身近なところで見ている浩子にはなんともいえなかった。コハダはひと口で消えてしまう。桜井はいった。

「でも、これからの人生に絶望なんてしていないよ。日根野さんは、ぼくが東京生まれなのは知ってるよね」

浩子はうなずいた。それがこの人の立ち居振る舞いに、どこかまぶしいような切れのよさを生んでいるのかもしれない。

「ぼくは自分が主役をできないのがわかってから決心した。これからは観客として生きよう。それも、できるだけいい客になろうって」

それがこのまえの謎めいた言葉の意味だったのか。だが、今度は浩子もなにか書かずにはいられなかった。

［一生ただのお客さんで淋しくないの］

桜井は明るく笑っていう。

「淋しくはないよ。東京には観るべきものがたくさんある。世界中から集まっているんだから。いい客になるのだって大変なんだ。インチキなやつや浅ましいやつにはきちんとブーイングして退場してもらって、これはいいなと思う人にはできる限り肩いれする。そうやって芝居や寄席《よせ》や映画や美術を観たりするのが、すごく楽しいんだ。今はだいぶ小劇場にはまってるけど」

たとえ受身だってかまわない。浩子にこの数年、夜の街にでていくのが楽しいなどという趣味はあっただろうか。それでも浩子は桜井のことがあまりにもったいなくて、書かずにはいられなかった。

「なにかで成功したいとは思わないの」

桜井はつぎのネタに手を伸ばした。ミルクを煮詰めたように白い天然のシマアジである。

「うーん、そういわれると、自信がなくて逃げてるところもあるのかもしれないな。でも、うちの大原《おおはら》さんみたいによほどの実力がないと、今は独立するのも大変だしね」

大原は三人いるクリエイティブディレクターの最年少だった。年は三十六歳。仕事ができて大手代理店の覚えもよく、ひとりでアッシュの仕事の六割近くを担当している。口八丁で手八丁。外見にはどこか異性の目をひかずにはおかない軽薄な魅力があった。あれ、なんだか、おかしいな。奇妙に浩子の胸が波立った。桜井の言葉は続いている。

「じゃあ、これは会社のみんなには秘密だよ。ぼくはちいさな演劇の専門誌に劇評のコラムを一ページもってる。さっぱり金にはならないけど、書くのはなかなか楽しいんだ。あれ、日根野さん、泣いてるの」

浩子は自分でもよくわからなかった。大原の名をきいて、突然涙があふれてきたのである。ちょっと高級な銀座の寿司屋のカウンターをまえにして、三十をすぎた女がはらはら涙を落とすなんて、普段なら浩子の美学が許さなかった。だが、涙はあとからあとからあふれてくる。桜井は困った顔をした。浩子はこの人は困った顔だってどこか上品だと思った。

「日根野さん、どうしたの」

返事をしたかったが、声はどこかにいったままだった。大原は浩子が会社にはいったとき、最初にあこがれた人だった。廊下の奥にある女子トイレで立ちぎきをしたのは、確か先週のことである。大原が二十代前半の女性デザイナーにからかわれていた。

「なんだか、経理の魔女って大原さんに気があるみたいですよ」

大原は短い笑い声をあげた。

「よせよ。気もち悪い。あんなのもうおばちゃんじゃないか。ぶつぶつ経費の文句ばっかりいって、あれへたしたらヴァージンだぜ」

デザイナーは金属質のはしゃぎ声をだした。

「えー、そんなことないですよ。だってうちの社長のお手つきだって噂じゃないですか」

そのとき浩子は薄い扉のむこうで、勝手にしろと思っていた。別に傷ついたりなんかしない。指先が冷たく感じるのは冬の水で手を洗ったせいだ。その証拠に五分後にトイレをでて、いつもどおりに浩子は経理の仕事をこなしている。だいたい今桜井から大原の名前をきくまでは、そんなことがあったことさえ忘れていたくらいなのだ。桜井は心配そうにいった。

「だいじょうぶ。なんだか様子がおかしいよ」

浩子は首を横に振ることしかできなかった。おもしろいように涙はわいてくる。遅れて届いた手紙のようにあのときのくやしさが身体のなかでようやく溶けだしたみたいだった。なによりもあんな程度の男に恋心を抱いていた自分がくやしい。浩子はいつだって男を見る目がなかったのだ。桜井はいった。

「気分が悪いなら、店をでようか」

浩子は黙って首を横に振り、シマアジを口に押しこんだ。この店でふたり分の代金なら浩子の十日分の食費といっしょだった。あんなやつのせいでせっかくのごちそうを台なしにするなんてもったいない。浩子は泣きながら憤然と形のいいにぎりを口に運んだ。アカ貝をたべ、アナゴをたべ、スミイカとイナダをたべた。ほかのネタよりゆっくりと時間をかけて、ウニと大トロを味わった。すっかり満足すると、涙も自然に収まっていた。

桜井はそんな浩子を笑いながら見ていた。

「ねえ、お腹が空いて泣いていたの」

浩子は桜井の冗談に息を殺して笑った。そのときである。のどのすぐ近くまで、なにかあたたかなものがあがってくるのを感じた。それはすぐにまた胸の奥深くにもどっていってしまったけれど、それがなんであるか浩子はわかっていた。この四日間なくしていた自分の声だ。気もちのこもった自分の言葉なのだった。浩子は書いた。

「声をなくした原因がなんだかわかったみたい。桜井くん、ありがとう。今の冗談でどこか旅行にいってた声がのどのすぐそばまでもどってきたよ」

桜井は冷たさを感じさせる観客の視線で浩子を見つめていた。

「それはよかった。じゃあ、つぎはぼくがおごるから近くのバーにいこう」

浩子は笑ってうなずき、ホワイトボードに書いた。

「そうこなくちゃ」


並木通りの街路樹にはイルミネーションが灯り、ガス灯を模した街灯は青ガラスを透かして冷たい光りを投げていた。大人のカップルでいっぱいの歩道を浩子と桜井は肩を並べて歩いた。海外ブランドのウインドウを見て、自分の年収に近い宝石や腕時計にため息をつく。だが、そんなときも桜井がいっしょだとまるでくやしくはないのだった。

桜井のいうとおり、いい客になればいいのだ。素材やデザインの美しさを楽しみ、そこからなにかを自分の心に移せばいい。手のだせない高級品だって、観る楽しみはある。最近オープンしたばかりのパリのブランドの旗艦店は、店先のテラスが広く、鏡を張ったように滑らかな大理石張りだった。ハイヒールの浩子を気づかって、桜井がいった。

「ここ、滑るから気をつけて」

そういいつつ振りむくとき、桜井の足元が危うくなった。灰色のパンツの足先が絡みそうになる。テラスの横は通りから四、五段高い階段だった。浩子は思わず叫んでいた。

「桜井くん、危ない」

足をもつれさせたまま、桜井は軽やかに跳んだ。ふわりと着地を決めると一番したの歩道に立って、笑いながら浩子を見あげている。浩子はなにが起きたのかわからなかった。桜井は白い息を伸ばしていった。

「ほら、今、日根野さんは声をだしたよ」

のどにつまっていた栓が驚きで抜けてしまったようだった。今度は楽に話すことができる。

「なにをいってるの、桜井くん。今のわざとだったの」

桜井は平然とした顔にもどっていた。

「そう。ぼくは学生時代、演劇部で舞台を踏んでいた。したが石だろうが、倒れる振りをするくらい今だって簡単だ。さっきもうちょっとで声がでそうだといっていたよね。ちょっとしたショック療法だよ」

「もう、いいかげんにしてよ」

浩子は怒った振りをしながら、もどってきた自分の声をとても新鮮なものにきいていた。この声が遠くにいってしまったから、こうして桜井のいい面をたくさん発見できたのだ。今となってはヒステリー改め身体表現性障害に感謝したいくらいだった。桜井は階段をゆっくりとのぼってきた。

「寒いからつぎのバーに急ごう」

ホワイトボードに書くときの癖がまだ残っているのだろうか。浩子は自分でも驚くほど素直にいった。

「今夜はわたしの声がもどってきた記念に、思い切りのんじゃってもいいかな」

桜井はほのかに上気した顔で笑っている。浩子のホワイトボードを取りあげると、さらさらとマーカーを走らせた。

[いいよ。でもつぎの店はぼくのいきつけだから、いきなり泣くのは勘弁してくれ]

わかったと浩子はいったが、頭のなかではまるで別のことを考えていた。今夜は酔った振りをしてうちの部屋に桜井を連れてかえるのも悪くないかもしれない。わたしだって三十をすぎているのだ。男を誘惑する方法だって、いくつかは実戦で身につけている。だめなら、押し倒しちゃえばいいのだ。

「いこうよ」

桜井がコートをひるがえして歩きだした。浩子は滑りやすい大理石のテラスを爪先立ちになって、子犬のように追いかけていった。

昔のボーイフレンド

「だからさ、日本の社会って男のためにつくったものなんだよ」

河合《かわい》はるかは底に泡を残すだけのビアグラスをテーブルにもどしてそういった。正面のワインセラーのガラス扉に、酔いと怒りに目を光らせた女が映っている。目のしたがちょっとたるんできているのが気になるが、もう三十代なかばだからしかたないのかもしれない。自分はいつからこれほど険しい顔をしているのだろうか。

「でも、このまえまでそっちの会社は男も女もあまり関係ないっていってたじゃない」

となりのスツールに座るのは、大学時代の友人で、ただひとり独身で仕事を続けている遠藤一実《えんどうかずみ》である。そこは渋谷の盛り場からはずれた静かなオフィス街にできた新しいワインバーだった。学生や子どものいない落ち着いた店だ。コンクリート打ちっぱなしの地下におりていくと、壁一面がステンレスとガラスのワインセラーになっているモダンな造りだ。はるかは年したのハンサムなバーテンダーに生ビールをお代わりしていった。

「今まではね。でも去年の十二月ですべて変わっちゃった」

一実は横目ではるかを見るとあきらめたようにいった。

「話すなっていっても、はるかには無理だよね。はいはい、ききますよ。吐いちゃいなさい。どうせ、なんとかコールの話なんでしょ」

はるかはうなずいて一気に怒りの言葉を走らせた。はるかが勤めるのは中堅の文具メーカーで、文具店ではなく事業会社への直販を担当する営業グループのひとつに籍をおいていた。そのグループでは、おおきな会社には定期的に営業パーソン（これが社内の正式呼称なのだ）が顔をだすのだが、中小零細の取引先には年に数回電話で営業をかけるのが恒例になっていた。この法人顧客掘り起こしコールが問題なのだ。一実が熱のない様子で口をはさんだ。

「そのコールっていったい何本くらいかけるの」

はるかは目をむいてみせた。

「四百五十七本。これをシーズンごとに年四回かけて、合計千八百二十八本」

「あら、それはたいへんだわ」

はるかは新たに届いたビールの半分をひと息で、熱をもった腹に流しこんだ。

「もちろん正規の自分のお得意はちゃんとフォローしたうえで、電話をかけまくるんだよ。わたしだって社歴が十年以上になる。あのコールは本来なら、新人の仕事なんだ」

だが、このところの不景気ではるかのグループへの新人の補充はもう五年ほどとだえていた。そこに去年の秋にようやく他の部署から、三十歳の男性社員がやってきたのである。

一実はルビーのように澄んだ、若いブルゴーニュのグラスを目の高さにあげた。

「おめでとう。年に二千本近いコールは、その男のところにいった」

はるかはいやいやながらうなずいた。

「そう。でも長くは続かなかった。その人自体は優秀だし、悪い人ではないんだけど」

その男性は人事部からまわされてきたエリート候補生だった。有名な大学をでて、社内の評判もいい。しかし、一週間ほど電話をかけ続けてしだいにふさぎこむようになった。

一実は恐るおそるきいた。

「そのコールって、たいへんなの？　ぜんぜん売りあげにもつながらないんだ」

「いちおううちの会社の名前はとおしてあるけど、ほとんど飛びこみ営業みたいなものだから、ひどいときは、もうたくさんってひと言でがちゃ切りされることもある」

それでも細々《こまごま》と注文が取れることもあったし、四百を超える会社に電話をかければ、なかにはオフィスのリニューアルを計画しているところもある。はるかの会社では事務所のデザインやオフィス家具なんかも扱っているから、二千本の電話をかけてそのなかの数本で改修工事に参加できれば、十分元が取れるのだった。

「それでだんだんエリート候補生がおかしくなってきて、会社を休みがちになったの。ほんとうなら、その人にがつんといってやればいいのに、うちの課長が呼んだのはわたしだったんだよね」

一実にもつぎの言葉はほぼ予想がついたようだ。あちこちの会社にいるOLの友人から、よくきかされている話である。

「河合くん、申しわけないがコールを彼から引きついでくれないか。このままではうちのグループの士気にかかわるし、彼ももう三十だから、って」

「それはないよね」

いっしょにため息をついてくれる一実の存在がはるかにはうれしかった。

「わたしだっていったよ。じゃあ、同じ三十代でも女性ならどんな仕事をさせてもいいんですかって。でも課長はすまない、すまないっていうばかりなんだ」

「それでまわりはどうだったの」

「ぜんぜんだめ。わたしが突っぱねているうちに、グループ内の雰囲気がどんどん悪くなるし、しょうがなくて最後には受けることになった。男ってほんとうにずるいよ」

はるかはビアグラスを再び空にした。一実はもう黙って友人の怒りのきき手にまわっている。

「男女平等とかさ、男女共同参画社会なんて口でいってる男ほど、インチキはないいってわかったよ。だって組合の人なんかまったく頼りにならなかったもの。いつもはきれいごとばかりいってる癖に、最後は自分たちの仲間だからって男のほうをかばうんだよね。でね、最悪なのはみんな最後にいう台詞がいっしょなの」

「なに、それ」

「要するにね、これは誰の責任でもない。新人がはいらないのも、コールを外注できないのも、この不景気が悪いっていうんだよね。悪いのは今の日本のしけった空気なんだって」

またため息がふたつ重なって、しばらく間があいた。はるかの声はきき取れないほど低くなる。

「わたしは一度辞表を書いたんだ。でもうえにだすことはできなかった。まだうちの会社でやりたいことがあるから。ここでひいたらそれが全部終わりになる。商品企画へは毎年異動願いをだしてるんだ。だからさ、今日も三十本飛びこみコールかけてきたよ。ボールペンが二ダースくらい売れた」

一実ははるかの夢をきいていた。今の会社で女性むけの万年筆とレターセットのラインを立ちあげることだ。はるかの趣味は筆記用具を集めることだった。カルティエ、デユポン、ダンヒルなどというと、どんなファッション小物だろうと思うかもしれないが、どこのブランドからも実用性と美しさを両立させた万年筆が発売されていた。一実にも透明なアクリルケースに収納された万年筆のコレクションを見せたことがある。色とりどりのセルロイドの軸に、金や銀やロジウムの細工、なかには蒔絵《まきえ》や螺鈿《らでん》を施したり、ラピスラズリやサファイアなどの宝石をおごったものもある。特に近年イタリアの工房が盛んになって、意欲作がつぎつぎと発表されていた。世界ではひそかな万年筆ブームが起きているのだ。はるかがボーナスのたびに買い集めた万年筆はすでに二十本近くになっていた。すべてきちんとインクをいれられ、いつでもつかえるようになっている。

一実はいった。

「そうだよね、まだ夢の万年筆をつくってないもんね」

はるかは黙ってうなずいた。なぜみんな腕時計なんかに走るのか、はるかには不思議だった。カルティエの最高級の腕時計なら二百万円はする。だがその二十分の一の価格で、同じブランドの最高の万年筆が手にはいるのだ。せっかく海外のリゾートにいっても、絵はがきをそなえつけのボールペンで書くなんてつまらないではないか。愛用の万年筆に南の空を煮詰めたようなターコイズのインクでもいれて、ひと言書きそえるほうがどんなに気もちを豊かにしてくれることか。だいたい手首に重い金属の固まりをつけておくなんて野蛮である。金のペン先からかえってくる繊細なしなりを指先に感じながら、自分の言葉をつづるほうが断然素敵ではないか。はるかは自分が少数派なのが、気にいらなかった。一実はバーテンダーにふたり分のお代わりを注文した。

「そうか。辞めないんなら、がんばろう。すくなくとも課長には貸しがひとつできたんだからね。それよりさ、はるかは最近男のほうはどうなの」

万年筆のことを考えていたはるかの表情が曇った。

「悪いことって重なるのよね。ちょうど三カ月まえに別れちゃった」

一実に今ステディがいないことを、はるかは知っていた。別れ話をききだしたくて一実は舌なめずりしそうだ。

「それで、それで、どっちが振ったの」

男だけでなく、女にも困ったところがあるようだった。ワインセラーの扉に身をのりだす一実が映っている。

「やっぱりむこうが振ったのかなあ。でも、今いちしっくりきてなかったんだよね」

一実は残念そうにいう。

「まただめだったか。はるかってさ、武弘《たけひろ》くんと別れてから、あとの男とはぜんぜん長続きしないいね」

そうだねとはるかはうなずいた。考えてみると確かに武弘と別れて十八カ月、三人の男とつきあったが長くは続かなかった。共通の友人たちから永すぎた春とも腐れ縁ともいわれながら、武弘とは六年も続いたのに。一実がグラスをあげて、乾杯を求めてきた。

「もう、考えてもしかたないよ。今夜は金曜日なんだから、とことんのもう。最後までわたしがつきあってあげるからさ」

そこではるかは腰をすえてのみ始めることにした。ビールをウォッカに代える。もう顔も思いだせないボーイフレンドと別れて三カ月たつのだ。そういえば自分はその三カ月間誰ともセックスをしていなかった。大学を卒業して以来の最長記録だ。そう気づいたら急に腹が立ってきて、ウォッカトニックを排水溝に捨てるようにのどに流しこんだ。


終電にのって渋谷から二子玉川《ふたこたまがわ》の自宅についたのは、深夜の一時すこしすぎだった。机のうえの留守番電話はメッセージの有無を示す赤いライトが点滅していたが、再生ボタンを押すとなにも録音されていなかった。

簡単にシャワーをすませ、スウェットの上下にカーディガンを重ね、はるかはひとり暮らし用のちいさな冷蔵庫のまえに座りこんだ。まだすこしだけのみ足りない気がしたのだ。自分の部屋でのむとき、はるかが好きなのは冷凍庫でとろりと凍らせたウォッカを、ソーダ水で割ったものだ。ワインや日本酒のような醸造酒では、翌朝に酔いが残る体質なのである。

外食の多い食生活を考えて、背の高いグラス一杯のウォッカソーダには、ライム半分を手でしぼりこんだ。庫内にはいつも両手であまる数のライムが転がしてある。足りないビタミンが補給できるような気がするし、そうするとライムの酸味のなかにかすかな甘さが立ってくるのだった。

音を消した深夜テレビを眺めながら、たっぷりとひと口のむ。熱いシャワーのあとで氷温に近いウォッカソーダは格別だった。ひとつのもののなかに熱さと冷たさが同時に存在している。こんな男がいたらすぐにつきあっちゃうんだけど。

はるかは週末の二日間、特に予定も立てていなかった。久しぶりに万年筆の手いれでもして、インクを春っぽい色に換えようか。黒やブルーブラックだけでなく、インクにはいろいろな色がある。グリーン、ラベンダー、ボルドー、バーガンディ、変わったところではグレイやセピアもある。ベッドの端にもたれてインクビンのはいった箱を見ていると電話が鳴った。

こんな時間に携帯ではなくうちの電話にかけてくるのは誰だろう。相手が誰でもなにか言葉を交わすことができるなら、それほど悪くはなかった。耳元でおずおずと腰がひけた男の声がする。

「こんばんは。河合はるかさんですか」

「はい、そうですけど」

「わかる?」

一瞬誰の声かはるかにはわからなかった。どこかのバーで知りあって一夜だけの関係をもった誰かなのだろうか。はるかは恋多きというタイプではないが、大学進学のために新潟から上京して十数年、そんな夜が覚えている限りで二、三度ある。別に後悔はしていなかったが、冷や汗をかいてしまった。

「うん、覚えてる、覚えてる」

　電話の相手は安心したようだった。

「よかった。一年半もたってるから、あなた誰なんていわれるかって心配した」

　それでようやく思いだした。一年半もつきあって声まで忘れるなんてどうかしている。電話の相手は池林武弘だった。武弘は都市銀行系のクレジット会社に勤めている。つきあい始めたのは卒業してからだが、同じ大学の先輩だ。はるかの声が一段高くなった。

「久しぶり、元気にしてる」

「うん、なんとか。そっちはどう」

「わたしはこのごろ最低なの」

「へえ、どうして」

　一年半ぶりの会話はどうやらスムーズに軌道にのったようだった。はるかはコードレスの受話器をもって明かりを消すと、グラス片手にベッドに横になった。それから三十分間、武弘には退屈かもしれないと感じながら、法人コールと日本の男性社会について文句をいった。不思議なことに武弘は適切なあいづちをはさみながら、熱心にきいてくれているようだった。そうなのだ、これが最近のボーイフレンドには絶対的に欠けていたものなのだ。頭から否定したり、うるさいとさえぎるのではなく、とにかく相手の話を正面からきく姿勢である。はるかの怒りは武弘のクッションに吸収され、しだいに静まっていった。ひと息つくとはるかはいった。どう呼んでいいか迷ったが、酔いにまかせて昔のように呼びかける。

「タケちゃんのほうは、仕事はどんな調子」

武弘はふくみ笑いでもしたようだった。愛称を呼ばれたのがうれしいのかもしれない。なんでものごとをななめから見て小ばかにするようなところが、この元ボーイフレンドにはある。昔は気になるところもあったけれど、その夜はなんだかなつかしく感じた。

「うちははるかのところと逆なんだ。親会社の銀行からリストラされた人が送りこまれてくる。でも仕事の量や手順はこれまでといっしょだから、みんな手もちぶさたなんだ。うえのほうでは、なんとか定年まで給料をだしておけばいいやって感じらしい」

「ふーん、うちにわけてほしいくらいだなあ」

そこで妙な間があいた。武弘は自然な振りを装っていった。

「ところで、はるかさ、今は相手いるの」

あっさりとひとり身を認めるのがなんだか嫌で、はるかは別な話を切りだした。

「今晩ね、さっきまで一実とのんでたんだ」

「ああ、一実さんか、なつかしいな」

「それでね、一実とタケちゃんはよく似てるなって今、思った」

自分はなにがいいたいんだろうか。はるかはベッドで寝返りをうって、腹ばいになった。なにか大切なことをいおうとしているような気がするけれど、ただ酔っ払っているだけなのかもしれない。武弘も姿勢を変えたようだった。荒い息が耳元で風のように鳴った。

「どういうこと」

「ふたりともわたしなんかの話をきちんと最後まできいてくれるでしょう。それでね、もどってくる反応がとてもやわらかいんだ。理屈じゃなく、どこまでも気もちを添わせてくれる。十年以上のつきあいの女友達みたいに話をきいてくれる男の人なんて、めったにいないよ。タケちゃんと別れてから、それがよくわかった」

へえと武弘はいった。

「今夜はやけに素直だね」

はるかはちょっとくやしくなった。

「ふたりとも精神的におばさんがはいってるのかもね。さんざんわたしが会社の悪口をいったあとで、きくことがいっしょだもん。それはいいけど、最近男のほうはどうなのよって」

真夜中の二時すぎにふたりは声をそろえて笑った。なんだかぞくぞくするようにうれしくなってくる。深夜の電話はなぜこんなに楽しくて、相手を身近に感じるのだろうか。相手の顔が見えずに声しかきこえないと、心と心がじかにふれあっているような気がする。

　はるかはあっさりといった。

「いないの」

　武弘には意味がわからなかったようだ。黙りこんでいる。

「今は相手はいない。三カ月まえに別れたんだ」

　抑えてもはずむような返事がもどってきた。

「そうなんだ」

「それでタケちゃんはどうなの」

「いないよ」

　真剣な声だった。そのひと言で小石でも落としたようにはるかの胸にあたたかな波紋が広がった。こんなときでさえ照れ屋の性格がでてしまう。

「今、タケちゃん二枚目の声になったでしょう。初めての合コンのときの自己紹介の声だったよ」

「はいはい、わかりました、こっちにも相手はいない。明日もひまだからなあって、ちょっと電話かけてみたんだよ」

はるかは武弘をからかいたくなってきた。

「さっきうちの留守電にかけたのタケちゃんでしょう。ほんとに軽い気もちで電話したのかなあ。なんか、あやしい」

がさがさと電話のむこうで武弘の動く気配がした。まさかベッドのうえで正座はしていないと思うけれど、彼は意外にまじめなのだ。

「じゃあ、ほんとのことをいうよ。このひと月くらいはるかに電話をするかどうか、すごく悩んでた。ぼくも友達に相談したよ。それで今夜は一晩中でも、そっちが家に帰るまで電話をしようって決めたんだ。もしかしたら、ほかの男といっしょかもしれないってすごく心配したけどね。そんなことになったら、ピエロだもんな」

はるかは武弘の素直さに感心した。

「いろいろな男を見たけど、二枚目より正直なほうがずっといいよ。よかったね、わたしがフリーで」

武弘は鼻の先で笑った。

「そっちこそよかっただろう。ぼくがフリーで」

はるかは返事はしなかった。こんなところで調子にのせると、男というものはすぐにつけあがるのだ。武弘がまた真剣にいう。

「それで、明日なんだけど晩飯でもくわない」

「じゃあ、いつもの喫茶店で五時に」
「いいよ」
「わかった」
そこで電話を切ればよかったのだが、それからもだらだらとふたりは昔話を続けてしまった。受話器をおいたのはカーテンが窓の形にうっすらと朝日を透かすようになった午前五時すぎだった。一年半ぶりの会話は四時間続いたのだ。それでもはるかにはまだ話したりないくらいだった。

そこは玉川高島屋の、駅から一番遠い端にあるちいさな店だった。たくさんの種類の手づくりケーキがあって、エスプレッソのおいしい喫茶店だが、人の流れからはずれているせいか、満席になっているのを見たことがなかった。

日ざしがだいぶかたむいた午後五時、はるかは新しい春もののパンツスーツ姿でガラスの扉をおした。中庭に面して一段低くなったフロアで、武弘が軽く手をあげる。白い革のハーフコートは見たことのないデザインだったが、武弘の顔つきや髪型は変わっていなかった。いくつになっても育ちのよさそうなお坊ちゃん顔なのだ。

はるかは自分の頭から足先まで、武弘が素早く視線を動かすのを感じた。男の視線で全身を探られるというのは、好みの相手であれば決して悪くないものだ。それはつきあっていたときには、武弘が見せなかった目である。この十八カ月で一キロだけ体重が増えているが、武弘にはそこまで女性のスタイルを見抜く目などないだろう。年のせいか頬と首から肉が落ち、顔は以前よりすっきりとしているくらいなのだ。

はるかはテーブルにつくと、武弘と同じダブルのエスプレッソを学生のようなウエイトレスに頼んだ。自然に笑顔になるのをとめることができなかった。

「こうしていると一年半ぶりだなんて嘘みたい」

「そうだね。よく眠れた？」

武弘はまた二枚目の声になっていた。はるかは明け方に眠りにつき、昼すぎに目覚めた。軽いブランチをすませてから、なぜかいつもよりていねいに部屋を掃除していた。つきあっていたころは、夜一杯やってから武弘がはるかのマンションに泊まりにくることが多かったのである。おかしな期待はしないほうがいいと自分にいいきかせても、部屋の隅々まで掃除機を二回かける手を休めることはできなかった。無邪気な表情の武弘にいった。

「たくさん話したら気分がすっきりした。ぐっすり眠れたよ」

「そうか、こっちはぜんぜんだめだった。何度もおかしな夢を見て目を覚ました。ちょっと興奮状態だったのかもしれないな」

自分のことを考えて男が眠れなかったときくのはいいものだった。

「でも、タケちゃんも変わらないね」

武弘はエスプレッソをすすると、窓のむこうの中庭に植えてあるケヤキに目をやった。小魚のような若葉が細い枝先にびっしりと群がっている。

「もうお互い大人になったということかもしれない。いい加減くたびれてるから、あうたびに見違えるほどよくなるなんてことはないんだよ」

はるかは三十代なかばでも十分若々しく見えるといいたかったのだが、武弘の感じかたは違ったようである。確かにもうこれからは、容姿も体形もゆっくりと衰えていくだけなのかもしれない。武弘はなにかを思いだしたようにひとりで笑っていた。

「ぼくはまだ大学時代のはるかを覚えてるよ。夏のあいだはずっと同じサッカー地のチェックのワンピース着てただろう」

サックスブルーとクリーム色の大柄のチェックのサマードレスだった。別にいつも同じものを着ていたわけではないが、はるかのお気にいりだったのは間違いない。

「自分だっていつも同じジーンズにポロシャツかTシャツだったじゃない」

「そうそう、あのころはみんなそんなもんだった。ブランドものなんてがんばってアルバイトしても、一番安いのしか買えなかったもんな。海水浴にいってもホテル代がもったいないから、浜辺にテント張ってざこ寝してたんだよな」

武弘の指先はヌバックのやわらかそうな襟元をいじっていた。自分たちはいつの間にかそれなりに豊かになり、その分なにかを失ったのかもしれない。武弘はじっとはるかの顔を見つめていた。

「だからさ、大学を卒業してから初めてはるかとあったときには驚いたよ。おお、大人じゃんって。ＯＬっていうとなんだか安い言葉だけど、もとはレイディだからね」

武弘はその単語だけしっかりと英語の発音でいった。はるかは笑顔でかえした。

「そうだね。すぐにデートに誘われたもの。こんな強引な人だったかなって思った」

「普段は別に大胆じゃないよ。だけどあのときは考えるより先に行動に移していた。このチャンスを逃してはいけないっていう、本能的なものだったのかもしれない。だってあれ以来、あんなふうにくどいたことはないから」

まだアルコールを口にしていないのに、はるかはふわふわといい気分だった。

「この一年半のあいだ、誰もくどかなかったの」

武弘はにやりとゆとりの笑いを浮かべた。

「あるよ。それは二、三回は」

以前のはるかなら嫉妬したかもしれないが、今では昔のボーイフレンドが女性を誘う話は愉快なものだった。

「それで、うまくいったの」

武弘はＶサインをだした。

「二勝一敗」

「やるじゃん」

武弘がさっとテーブルのうえで手を振ると伝票が消えていた。

「その話の続きはのみながらにしよう。裏の串揚げ屋でいいよね」

うんとうなずいて、はるかは席を立った。そこは一年半まえまで、毎週のようにかよっていた店である。

まだ時間が早いので店内はすいていた。コの字形に組まれた白木のカウンター席があるだけのちいさな店である。焼酎ブームとかで、壁には五十種類を超えるラベルが貼りつけてあった。ふたりは奄美《あまみ》大島の黒糖焼酎をロックで頼み、揚げたてのわらびやたけのこを歯先でかじった。白身魚は江戸前のハゼで、殻つきの小エビとギンナンを交互に刺して素揚げにした一本は、尻尾までぱりぱりと香ばしかった。

ふたりは十八カ月ぶりのデートで、よくたべよくのんだ。その店をでたのは十時すぎだから、四時間も腰をすえていたことになる。だが、はるかにはほんの一瞬のことに感じられた。

三月のなかばすぎでも、夜は冷えこんでいた。デパートの裏道を歩いていると、はるかは自然に武弘の左腕にぶらさがるようになった。細い一方通行のつきあたりをにらみ、はるかは白い息でいった。

「これから、どうする？　もう一軒いってもいいし、うちにきてもいいよ。昔みたいに」

武弘はぽつりという。

「昔みたいに」

「そう。そんな題名の映画があったよね。わたしは観てないけど、いいタイトルだなあって思ったのは覚えてる」

武弘が身体を硬くしているのが、革のコート越しにわかった。はるかが見あげるようにすると武弘がいった。

「今度はおれたちうまくいくかなあ」

「わかんないよ。でも、試してみよう。まだチャンスも時間もあるし」

「うん」

ふたりはゆっくりと言葉すくなに歩いて、はるかの部屋にむかった。途中のコンビニで歯ブラシを買うのを武弘は忘れなかった。部屋にはいると、武弘は周囲を見わたしていった。

「ぜんぜん、変わってない。変わったのはベッドカバーとあのコレクションだけだ」

万が一のことを考えてベッドカバーは新品に替えてあった。武弘はふたり掛けのソファに座らずに、壁の書棚のまえにいった。特等席には万年筆をいれるアクリルケースが、ななめに角度をつけておいてある。

「二本増えたな。これはパーカーと、こっちのはなあに」

「ヴィスコンティ。クリップがドラゴンになっているでしょう。目はルビーなんだ。『幸運の龍』っていうモデル名なの。そっちのパーカーだって一九四〇年代のデッドストックなんだから」

ペンの軸はくすんだ琥珀《こはく》のような落ち着いた色のセルロイドである。はるかは来客用のバスタオルを手わたした。

「先にシャワー浴びるでしょう」

「昔みたいに」

「そう」

はるかはコートを受けとり、バスルームに消える武弘の背中を見送った。万年筆のケースには二十本はいるようになっていて、まだ五本分の空きがあった。このケースがいっぱいになる数年後まで、自分は武弘と同じ時間をすごせるのだろうか。はるかは不思議だった。シャワーの水音をこんなになつかしく感じるのは、自分が年をとったせいなのか、その相手が武弘だからなのかわからなかったからである。

武弘との一年半ぶりのセックスは、なんだかぎこちなかった。身体は記憶のなかにあるとおりなのに、反応がどこかずれてしまっている。タイミングが微妙に狂っているし、それがお互いにわかっているから、その最中におかしな焦りが生まれてしまった。

武弘は以前にも増してがんばってくれたが、結局はるかはその夜エクスタシーを迎えることはなかった。それでもはるかは十分満足だった。こうした行為は、繰り返していけば自然にただしい形やタイミングが見つかるものである。武弘との相性は六年の永い春のあいだに確認ずみだった。

真夜中をすぎてぐったりと眠りこける武弘の横顔を、はるかは頬づえをついて見ていた。何度も頭に浮かぶのは、なぜこの人だったんだろうという疑問である。武弘は低くいびきをかき、うっすらと口を開いて眠っている。

そのときはるかが考えたのは、世のなかにいる無数の男たちのことだった。この人だってうちの会社の同僚のように、わたし以外の人にはずいぶんいい加減なところがあるのかもしれない。でも、武弘はわたしにはいつだっていい人だった。わたしが最大限に困っているときには、なぜかいつもそばにいてくれた。きっとこの昔のボーイフレンドはそういうめぐりあわせの人なのだ。そう思うとなぜか涙がにじんできた。はるかは新しいベッドカバーの端にそっと涙を吸わせた。

人の気も知らずに、武弘のいびきがのんきに高くなった。はるかは手を伸ばして、芯の硬い男の鼻をつまんだ。息ができなくなったようで、しばらくもがいてから苦しげに武弘が目を覚ました。はるかの手を払いのけていう。

「なんだよ、殺す気か」

はるかは荒い息をする武弘の頬にキスをして、耳元でささやいた。

「だっていびきがうるさかったんだもん」

はるかはほかにもっとたくさん伝えたいことがあった気がしたが、そのまま抱きついているうちに言葉はみな涙になって流れてしまった。武弘は黙って抱きしめていてくれる。この人はそういうことが無理なくできる人なのだ。

明日は一日なにをしよう。十八カ月ぶりにふたりですごす日曜日に、はるかの胸はときめいた。もうすぐ朝がくるだろう。

スローガール

愛なんてセックスを包んでいるただの包装紙だと、橋爪慶司《はしづめけいじ》は思っていた。どこかのデパートではないが、形だけバラの花束が刷ってあるところなどもよく似ている。中身があまりにあからさまだから、きっときれいな包み紙が必要なのだろう。

慶司は鏡のなかのやせた男を見つめた。頬の線はあいかわらずシャープだ。仕事のある平日にはおろしている前髪が、ハードタイプのジェルで立ちあがっている。シャワーあがりに身につけたのは、洗い立てのジーンズに白いタンクトップ。そのうえにしなやかな羊のスエードシャツを重ねている。靴はこれもスエードのドライビングシューズを、裸足でかかとをつぶしてはいていた。

女たちはラフでカジュアルで、おまけに高価なファッションが好みなのだ。胸につるした鎖は二重になって、金とプラチナの認識票《ドッグタグ》が絡みあっていた。あんな戦争を延々とテレビで観せられたのだ。今度のペンダントトップは十字架にしよう。

慶司は鍵と財布をとると、ぐるりと部屋のなかを見まわした。そこは独身のあいだならいくつになっても、冗談のような費用で住むことができる社員寮の一室である。広さは二十平方メートルほどで、そなえつけのベッドと机におされていても、まだかなり広い床が見えた。慶司が勤める電子部品会社は、沈みゆく日本経済のなかでも技術的な競争力を失ってはいなかった。当分は都心の一等地にあるこの寮も安泰だろう。

夏になれば三十三歳になる慶司は、別に結婚などする必要はないと思っていた。誰かひとりの女と暮らし、同じ相手とずっとセックスし、経済的なお荷物まで抱えこむなんて、とんでもない愚行である。十代の後半で初体験の相手と結婚し、ハツカネズミのように子どもをつくる男もいれば、自分のように独身を守り、そのときどきに違う女と遊ぶ男もいる。

別にどちらでもかまわないではないか。なにもかも縛られた世のなかで、恋愛やセックスだけが個人に残された数すくない自由なのだ。誰にも強制されず、誰にも結果を報告する必要はない。慶司はまだこの自由を手放すつもりなどなかった。ことにこの春は、九カ月ほどつきあってしだいに結婚願望をほのめかすようになった化粧品の販売員と、ようやく別れたばかりなのだ。

独身の男ばかりが住んでいるこの寮では、土曜日の夜は誰も残っていなかった。空室ばかりのホテルのようである。週末の夜の男たちはみないそがしいのだ。久々に新しい獲物を狩る気分になって、無人の廊下をいく慶司の足取りは軽かった。

外苑西通りでタクシーにのって、ツーメーターで南青山についた。慶司は根津美術館の角を西麻布のほうへ歩いていった。この数カ月顔をだしていないが、あのバーはまだ変わらずに営業を続けているだろうか。

そこは遊び人のあいだでは、ちょっと名の知られたバーだった。外壁をアイヴィーが埋め尽くすファッション雑居ビルの地下一階である。表むきはシングルバーとうたっていないが、夜になると男のいない女たちがどこからともなく集まってくる。

夜の路上に青い看板が浮かんでいた。ＥＸＰＥＣＴＡＴＩＯＮ。バーの名前に期待とはよくつけたものである。きっとオーナーも相当の遊び人だったに違いない。慶司は風下から獲物に近づいていく肉食獣のように、足音を殺して階段をおり、ワックスの染みたバーのフローリングに滑りこんだ。

右手に店の奥まで伸びるカウンター、左手には赤い革張りのボックス席が続いている。ウエイターは慶司を認めると、視線だけで挨拶を送ってよこした。何度かよっても親しげに冗談などいわないよそよそしいところも、このバーのお気にいりのひとつだった。

慶司は靴底にねばりつく床を歩いていった。うなぎの寝床のような造りのこの店で、目的の場所は最深部にあった。カウンターはそこで右に折れている。壁にぶつかるまでさらに三メートルほどスツールが並んでいるのだが、巨大な製氷機の死角になって、ふたりいるバーテンダーの目は届かなかった。

声をかけられるのを待っている女たちは、お約束のようにひとりあるいはふたり連れで、死角になったカウンターに席をとった。男たちは一段低くなった奥のフロアから女たちを値踏みして、声をかけに出撃していくのだ。店も黙認のハンティングゾーンである。もっとも女たちからすれば自分たちが狩り手で、男のほうが獲物なのかもしれない。このゲームでは、犠牲者はつねにめまぐるしくいれ替わるのだ。

慶司はやってきたウエイターにバーボンソーダを頼んだ。この店のバーボンソーダは冷凍したバーボンをつかうのが特徴だった。氷をつたわせて流しこんだバーボンにソーダをいれると、無数の泡がスパークして一気に混ざる。ステアする必要もなかった。簡単だが実にうまいカクテルだ。

その夜、奥のテーブルに散らばるライバルは三人。以前からの顔見知りはまだきていないようだった。男たちとはできるだけなかよくしておいたほうが得策である。獲物の情報が共有できれば、成功の確率もぐっと高くなるというものだ。

酸味がきいたバーボンソーダをひと口のみ、息を整えてカウンターに目をやった。夜が早いせいか、まだひとりしか女はいなかった。短い髪にデニムのショートジャケット、同じ素材のミニタイト。格子柄のストッキングが量感と長さのバランスがいい脚を包んでいる。慶司はグラスを口に運び、ゆっくりと待った。あの席に座る女たちは必ず男たちのほうが気になって、一度はうしろを振り返るものだ。顔のチェックはそのときでいいだろう。席を立っておかしな動きを見せ、相手に警戒させるよりは、そのほうがずっといい。

予想どおり彼女はスパイクのようにとがった靴のかかとを確かめる振りをして、こちらをちらりと見た。慶司の胸は躍った。名前は忘れてしまったが、テレビドラマで聾啞《ろうあ》者の役をやっていた女優によく似ていた。顔立ちのバランスがよく、無垢なイメージを感じさせる。もっともこのバーで男に声をかけられるのを待っているのだから、純真も無垢もただ外見のイメージにすぎないだろう。それもまたおもしろいと慶司は思った。すくなくはない女たちとのつきあいは、外見と内容がいかに無関係かをよく教えてくれた。

どちらにしても彼女がこのバーで見かけた最上等のひとりであるのは間違いない。先客の男三人は、なぜ手をこまねいているのか。それとも全員玉砕してしまったのだろうか。慶司がグラスをもって席を立つと、むかいのテーブルの第二ボタンまでシャツを開いた男が、ちいさく横に首を振った。やめておけというように哀れみの笑顔を見せる。モーションを起こしてしまった慶司は、そこでとまれなかった。カウンターにむかう女のななめうしろに位置をとり、軽やかに声をかけた。

「おひとりですか。となりでのんでもかまいませんか」

下心などまるで感じさせない爽やかな笑顔。慶司はこれにはすこしばかりの自信があった。だが、彼女の反応は遅かった。目のまえにいるのに国際電話で話しているようである。困惑したままの表情で固まってしまう。グラスを片手に間抜けに立っている慶司には息をのむ数秒間だった。地球を半周した慶司の言葉は、ようやく彼女の心に届いたようだった。

こくりとうなずいて女はいった。

「……はい」

これはいったいなんだろう。調子を狂わされた慶司はそれでもとなりのスツールに浅く腰かけた。彼女は急に楽しくなったようだった。にっこりと笑って、正面の酒ビンの波を見つめている。

「今日はなにしてるの。誰かボーイフレンドと待ちあわせなのかな」

彼女の顔はまるで最新式のスクリーンセイバーのようだった。笑顔はゆっくりと平静な表情に変わり、それが最後にはうねるように困った顔になった。表情の変化は恐ろしくゆるやかだが、一瞬も静止することはない。目じりのこじわからすると、若く見える二十代後半というところだろうか。

「……おともだちをつくりに……きました。先生も……いつもうちのなかばかり……ではいけないって……いうんです」

慶司はようやく先ほどの男がやめておけというように首を振った理由がわかった。彼女はたいへんな美人なのに、反応がスローなのだ。慶司は自分までゆっくりと話してしまう。

「男の人と、今までに、つきあったことは、ありますか」

国際電話のコツを慶司はすぐにつかんだ。話したあとは勇気づけるような笑みを浮かべたまま、ゆっくりと待つのだ。慶司は目のまえの美しい顔をじっと見つめていた。メッセージの到着、理解、困惑、思考、返信。すべての段階が彼女の顔には順番に表現されるのだった。恥ずかしそうに女はいった。

「……いいえ……ありません……もう二十九だから……おつきあいしてもおかしくないんですけど」

なんだか気の滅いるような話になってきた。惜しいと思った。これほどの美しさがまったくの無駄づかいに終わっている。きっとこの年でも男性経験はないのだろう。彼女は恥ずかしげに視線をそらせ、壁の木目を見つめている。三人のライバルはこのあたりであっさりと引きさがったのだろう。この相手では、ウソー？　ホント！　というような最低レベルの会話さえ続けるのはむずかしそうだった。

慶司も席を離れようかと思い、女の顔を見た。彼女の笑顔はつつましかった。誰にも見られずに咲いている白い朝顔のようだ。痛々しい美しさが胸を打つ。まだほかの獲物はきていないのだ。慶司は腰をすえて、しばらくのあいだ彼女と話すことにした。

「ここには、よくくるの」

バーボンソーダをすすって、ゆっくりと待った。

「ボランティアの……お姉さんに……連れてきてもらって……今日が二回目……です」

若い女同士なので、彼女の気もちがボランティアにはわかったのだろう。医師や施設の職員では、彼女の切なさには気づかなかったのかもしれない。

「でも、ここは、きみには、あぶないところだよ。それをのんだら、かえったほうがいい」

彼女のまえには淡いオレンジ色のカクテルがおいてあった。シャンパンのオレンジジュース割の名はなんといったっけ。慶司はバーボンソーダをお代わりした。彼女の笑顔は心底楽しそうだった。

「……なんで……あぶないん……ですか」

慶司はお得意の爽やかな笑顔をつくった。

「それは、ぼくみたいな、悪いやつが、いっぱいいるから」

この返事は彼女にはむずかしすぎるようだった。顔の表情をめまぐるしく変えながら、じっくりと考えている。慶司はくつろいで待った。眉のあいだに深いしわを刻んで彼女はいった。

「……おかしいです……どう見ても……あなたは……あぶない人には……見えません」

慶司は思わずちいさな笑い声をあげた。

「夜の街では、あぶなくなさそうな人が、一番あぶないんだよ」

右手をあげてウエイターを呼んだ。彼女の分を自分の伝票につけるようにいって、女にむき直った。幼い子どもに話すような口調になる。

「いいかい。この店は、きみみたいな、いい子のくるところじゃない。それをのんだら、おうちにおかえり」

今度は彼女の頭のなかで、いくつかの考えがぶつかりあっているようだった。信号が変わるように、つぎつぎと表情がいれ変わっていく。だが、余裕をもって眺めていた慶司の気もちは、最後の変化に強く揺さぶられることになる。

朝日に花が開くように彼女はゆっくりと笑顔を見せたのだ。それは先ほどまでの笑いとはまったく違っていた。見る間に目じりや口の端にしわをたくさん寄せて、笑顔は大輪の花になる。シングルバーの暗がりが、彼女のまわりだけ明るくほころんで見えた。心から笑うとき人間はこんな表情になるのだろうか。

「……わかりました……今日は目標がかなったので……残念だけど……もう、かえります……」

最大限の笑いを固定したまま、慶司を見ている。

「目標って、なあに」

彼女の笑みから放射される熱が、慶司の頬まで赤く照らすようだった。

「男の人の……おともだちを……つくること」

彼女がまっすぐに見つめてきた。初対面の慶司に疑いのかけらさえもっていない。

「わたしたち……もう、おともだちですね……わたし、西田美咲《にしだみさき》……あなたの……お名前は」

自然に笑ってしまった。こんな形で今夜初めての自己紹介をするとは思わなかった。慶司もあの爽やかなつくり笑顔ではなくなっている。

「橋爪慶司」

美咲は眉をひそめて、口のなかで何度も慶司の名前を繰り返した。

「慶司さん……ですね……わたしたち……また、会えますね……きっと」

慶司は彼女と二度と会うことはないだろうと思っていた。それでもにこやかにいった。

「うん、きっと、また会える」

「よかった……よかった」

ゆっくりと確かめるようにいうと、美咲はカクテルをひと息でのみほした。スツールをおりて慶司の横に立つ。ゆっくりと頭をさげて挨拶した。

「どうも……ありがとう……ございました……ごきげん……よろしく」

スツールを離れるときひっかかったのだろうか、デニムのミニスカートがまくれて右のふとももがつけ根のほうまでのぞいていた。慶司は健康的な丸さに目をとめていった。

「美咲さん、脚」

美咲は不思議そうにまくれたスカートを見おろしている。なんでもないという様子で、にこにこと笑い、慶司に視線をもどした。

「どうか……しましたか」

「あのね、脚をそんなふうにだしていると、悪い人に襲われちゃうよ」

悪い人のひと言は美咲に強烈な作用をもたらした。目をいっぱいに開いてホラー映画のポスターのような恐怖の表情をつくる。ばたばたと必死でスカートをおろした。裾《すそ》をつかんで思い切り引きさげるものだから、スカートがずり落ちてしまいそうだった。

「もう、だいじょうぶだよ」

美咲は心配そうにいった。

「これで……襲われ……ませんか」

慶司は笑ってうなずくしかなかった。美咲のような素直さと反応のダイレクトさは、幼稚園の園庭以来久しく目にすることがなかったのである。

「気をつけて、おかえりなさい」

「さようなら……慶司さん」

慶司はあたたかな気もちで返事をした。

「うん、さようなら、美咲さん」


その夜、慶司はそれから二時間ねばった。うまくくどき落としたのは、板橋に住むというブティックの店員だった。このバーはなじみのようで、男に声をかけられても堂々としていた。年齢は二十三歳だという。青山で働いているのだ。化粧にもファッションにもすきはなかった。

バーをでると、翌朝のんびりできるので、ラブホテルより自分の部屋のほうがいいと、彼女ははっきりいった。慶司がキスをして、彼女の胸にふれたのはタクシーのなかだった。久しぶりに新たな女性とセックスができるので、うれしいことはうれしかった。けれども慶司は始終冷静だった。ようやくついた１ＤＫの窓際には、ランジェリーとジャージが干してあった。げんなりとはしたが、別に洗濯ものを抱くわけではないと自分にいいきかせる。彼女とのセックスはいつもの平均的なセックスだった。期待しているあいだのほうが楽しいという、ゆきずりの場合にはよくあるパターンだ。

明け方、慶司は女のいびきで目が覚めた。口をうっすらと開けて眠っている相手を見る。眉頭をほんのすこし残して、きれいに眉はそられていた。化粧はきれいにクレンジングしてある。慶司は不思議だった。豊かな乳房とよく動く腰はいくらでも思いだせるのに、となりで眠っている女性の笑顔はまったく覚えていなかったのだ。

笑顔といってすぐに思いだすのは、ほんの十分ほどしか話していないあのスローな女性の笑顔だった。きっと二度と会うことはないだろう。ちょっと惜しい気もするが、それもしかたない。彼女はああしたバーに似あうタイプではないし、とおりすがりの女性と再会する確率など、東京では計算するのもばからしいくらいのものだった。それにしてもあの笑顔のまじりけのなさといったら、どうだろう。あんなふうに笑う女性がいたなんて。

慶司は自分がほほえんでいることも気づかずに、再び眠りについた。

つぎの土曜日も同じ時間にバーに潜りこんだ。まっすぐにハンティングゾーンにむかう。死角になったカウンターにまだ女性の姿はなかったが、奥のテーブルで慶司に右手をあげる男がいた。

「よう、元気してたか」

男は乱ぐい歯をむきだして、慶司に笑いかけた。川中文也《かわなかふみや》は自称ジゴロである。だが、その言葉が連想させる華麗さとは無縁のどこにでもいる気弱そうな男だった。しかし外見にだまされてはいけない。空振り続きの夜、慶司はこの男が過去十年間をどうやって生き延びてきたかきかされたことがあった。

文也が狙うのは必ず不幸な女だった。恋人とうまくいっていない、仕事を憎んでいる、借金がある。そうした女性を口説き落とし、風俗に落とすのが常套《じょうとう》手段なのだ。もちろん自分は働かない。映画のシナリオや舞台の台本を書く修業中だといって、女の部屋に転がりこみ、財布のひもはしっかりとにぎるのである。

「うまくソープででも働いてくれれば、一日二十万の稼ぎになる。月に二週間働いて、三百万弱だ。そういう女はもともと金勘定なんてできないから、おれたちの将来のために貯金しといてやるといえばそれですむ。ちょろいもんだ」

そうやって十年しのいだと自慢げにいう。慶司はあきれてきいているだけだった。だが、そのバーのなかに限ってしまえば、自分のやることも文也のやることもまったく変わりはなかった。カウンターの女たちに声をかけ、うまくいけばひと晩の情事にあずかる。それだけが目的なのだ。

慶司は文也のテーブルに腰をおろした。

「そっちこそ、最近の調子はどうなんだ」

文也は締りのない口元をほころばせ、テーブルのむかいの慶司を手招きした。声をひそめていう。

「それがここだけの話、いいカモが見つかったんだ。今の女と別れるために、新しいのを探してたんだがな、このバーにいいのがいた」

へえ、どんな女だろうと慶司は思った。このバーの常連なら慶司もカクテルの一杯くらいはおごったことがあるはずだ。地味なジゴロはにんまりと笑った。

「このところ毎晩、女はこの店にきてる。なかなか美人で、見たら驚くぞ」

慶司は届いたばかりのバーボンソーダを口にしていった。

「やっぱりわけありなのか」

スコッチのオンザロックがはいったグラスをあげて、ジゴロは乾杯を求めてきた。

「わけあり女に乾杯。つきあうなら、その手に限る。みんなばかみたいに素直にいうことをきいてくれるからな」

慶司はしかたなくグラスをあわせた。かするように透明な音がする。ジゴロがバーの扉のほうをむいていった。

「きたよ。あの女だ。あんたにも紹介してやるよ。ただし、おれが狙ってるのは忘れないでくれよ。こっちには飯のタネなんだからな」

振り返って慶司は見た。カウンターとボックス席のあいだの狭い通路を、スタイルのいい女性がにこにこと笑いながら歩いてきた。美咲だった。春らしいミントグリーンのミニスカートにセットアップのジャケット姿。なかには襟ぐりの広く開いた光る素材のカットソーを着ている。胸の白さが薄暗いバーで輝くようだった。だが、美咲にはセクシーさやミニスカートの意味は、おぼろげにしかわかっていないのだろう。まくれあがったスカートを不思議そうに見おろしていた視線を思いだす。文也は立ちあがると手を振った。

「美咲ちゃん、こっちこっち」

美咲は同じテーブルの慶司に気づいたようである。スイッチがはいり、ただの笑顔がまた最大出力までひきあげられた。忘れられなかったのは、きっとこの笑顔なのだ。慶司も立ちあがり、美咲に会釈した。美咲は頬を上気させていう。

「文也さん……この人が……おともだち……です」

ジゴロは顔をひきつらせて、慶司のほうを見た。

「彼女はずっとともだちに会うためにきてるといってたんだ。あんただったのか」

三人が席につくと、ウエイターがやってきた。美咲はうれしそうにほほえんだまま注文した。

「ミモザ……ひとつ」

文也がいった。

「いつも美咲ちゃんはそれしか頼まないね」

美咲はジェスチャーゲームのようにおおきくうなずいていう。

「はい……ボランティアの……お姉さんに……それ以外は……だめだって……男の人におごらせたら……いけません」

慶司は文也を見て、皮肉に笑った。ボランティアもなかなか味な忠告をする。きっと文也は酒に慣れない女性なら、すぐふらふらになるようなカクテルをのませようとしたに違いない。慶司はゆっくりといった。

「毎日、きていたのは、ほんとうなの」

美咲の表情はこれ以上はないくらい真剣になった。じっと慶司に目をすえている。

「いつか……きっと……また、会える……初めての男の……おともだちが……慶司さんが……そういってくれました……だから、わたしは……毎日きました」

慶司は心を動かされた。軽率な自分のひと言を真に受けて、美咲は毎晩このバーで待っていたという。彼女と話すときは、言葉を選ばなければならないと思った。冗談やしゃれが致命的になることもあるだろう。美咲は一転して、ほがらかな笑顔を文也にむけた。

「それに……こうして……別なおともだちも……できました」

しばらく間をおいて、自分自身にうなずきかける。

「よかった……よかった」

三人の会話は、一番スローな美咲のペースにあわせてゆっくりと、だが活発に続いた。美咲が恥ずかしそうに、トイレにいきますといって席を立ったのは、一時間ほどすぎてからだった。腰のラインをじっくりと見送って、文也がいった。

「なあ、あんた、あの女はおれに譲ってくれないか」

慶司はじっとジゴロを見ていた。文也はスコッチをすすり、悪びれずにいった。

「あんたはあんなとろい女とつきあうつもりなんてないんだろ。あれはおれ以外には利用価値のない女だよ」

慶司は男のがたがたの歯並びだけ見つめていた。いったい自分は美咲をどうするつもりなのだろう。黙っていると文也はいった。

「おれは今夜、あの女をものにするつもりだ。あんな女でもピンサロにでも売れば、まとまった金にはなる。なんならあんたにキックバックをやってもいい。あんたはここで手を引いて、とろい女にさよならするだけで、いい金になる。悪くないバイトだろ」

文也は歯をむきだして笑い、うわ目づかいで慶司を見た。

「今がチャンスだ。あの女がもどるまえに、消えちまえよ。金は来週にでももってくるから」

慶司は暗いバーのなかを見まわした。目のまえにはハイエナのようなジゴロ。カウンターに座る何人かの女たちは慶司に探るような視線を送ってくる。ゆっくりとしたフォービートのジャズがかかっていた。

そこで慶司は美咲の笑顔を思いだした。人への信頼や善意だけを蒸留したようなまじりけのない笑いである。それはこの場にも、汚れた自分にもふさわしくないものに感じられた。それでもひとつだけはっきりとわかっていることが慶司にはあった。にやりと文也に笑ってみせる。

「悪いけど、最初のおともだちは、こっちなんでね。あの子は、ぼくが連れてかえる。あの子よりわけありの女なら、このバーにいくらでもいるだろう」

文也はなにかいいかけたが、美咲がもどってくると口をつぐんでしまった。慶司は美咲の目を見ていった。

「ぼくはもうかえるけど、美咲さんも、いっしょに、ここをでないか。夜も遅い。悪い人もたくさんいる」

慶司はそこで言葉を切り、文也を横目で見た。

「タクシーでかえるから、きみを送って、いくよ」

文也のくやしそうな顔が愉快だったが、慶司は自分もこのジゴロと変わらないと思っていた。また来週の夜になれば、別な女性の別なセックスを求めて、このバーにきていることだろう。

美咲は残りのカクテルを牛乳のようにごくごくとのんで、にこりと文也に笑いかけた。

「今夜は……楽しかった……一度にふたりの……おともだちと……話したの……初めて」

もう慶司は文也の顔を見なかった。ハンティングゾーンの女たちも無視して、会計をすませるために、カウンター沿いにさっさと歩いていった。

タクシーは土曜日の夜で渋滞した246号線をゆっくりとすすんでいた。慶司は窓の外を眺めていった。

「美咲さんは、これからはもう、あの店にいかないほうが、いい」

美咲の表情は驚きから、落胆に変わった。街の明かりを背にした横顔は人形のように整っている。

「どうして……ですか……あそこで……慶司さんにも……会えたし……つぎはどこで……会えばいいんですか……わたしたちは……おともだちですよね」

慶司はシートで身体をひねり、美咲のほうにむき直った。

「いいかい、男の人と、女の人というのは、そう簡単に、おともだちには、なれない。それには時間がかかるし、ちゃんと相手を選ばなきゃいけない。誰にとっても、それは簡単なことじゃないんだよ」

美咲は悲しい顔をした。大切な人が目のまえで死んでいくのを見るような表情である。

「慶司さん……みたいな……頭のいい人でも……そんなに……むずかしいんですか」

あらためてそうきかれると、自分はこれまでどんな女性と出会ってきたのだろうかと思わざるをえなかった。考えながらゆっくりとこたえた。

「ぼくだって、きっとそうだよ」

ほんとうは誰とも出会っていないのかもしれないと感じたことを、慶司は黙っていた。美咲の涙は突然だった。ぽろぽろと胸に落ちたしずくは、カットソーに灰色に染みていく。

「じゃあ……わたしみたいに……頭が悪いと……ぜんぜんむりだ……わたしには……一生……男の人の……おともだちなんて……できないや」

慶司はこの純真さを守ってやりたかった。だが、全身で泣いている美咲に軽々しい言葉はいえなかった。タクシーは池尻大橋をすぎて、三宿《みしゅく》の交差点を右折する。美咲の家は世田谷学園の近くにあるのだそうだ。美咲は涙をふきながらいった。

「今夜は……どうも……ありがとう……でも、まだ……慶司さんと……わたしは……おともだちじゃ……ないんですよね」

美咲は必死だった。

「おともだちには……どうしたら……なれますか」

慶司には返す言葉がなかった。誰か異性の人間と、ほんとうの意味で知りあうにはどうすればいいのだろうか。それがわかっていたら、自分はこんな人間にはならなかったかもしれない。それとも、それがほんとうに試されているのは、今この瞬間なのだろうか。美咲は前方を指さした。

「あそこの……明かりのついてる……家のまえで」

白く塗られた門扉のわきにちいさな白熱電灯がついていた。マンションにはさまれた古い造りの一軒家である。そのまえには五十代後半くらいの女性がぼんやりと立っていた。タクシーのなかをのぞきこむように、女性は腰をかがめた。

「おかあさん」

そういうと美咲はタクシーをおりた。美咲の母親は疲れた顔で頭をさげた。

「わざわざ家まで送ってくださってすみません。この子がなにかご迷惑をおかけしなかったでしょうか」

このまま美咲をおろしてかえるつもりだった慶司は、とっさに運転手にいった。

「すみません。ちょっと待っていてもらえますか」

慶司はなにも考えなかった。身体が自然に反応しただけである。後部座席をずれて、タクシーのわきに背を伸ばして立つ。美咲はさっそく母親と手をつないでいた。

「美咲さんはとてもいい子でした。ぼくは迷惑だなんてまったく感じなかった」

美咲の母親はそういう慶司にまた頭をさげた。この母親は娘のことでずっと頭をさげてきたのだろうか。美咲はにこにこと笑って、慶司を見つめている。

「もう頭をあげてください。ぼくはこういうものです」

なぜ財布をだしているのか、自分でもよくわからなかった。慶司は名刺を一枚抜くと、ボールペンで裏に携帯電話の番号を書いた。筆記用具は土曜日の夜の必需品である。慶司は母親に名刺をわたして、美咲にいった。

「裏にぼくの番号がある。いつでも電話してくれていいよ」

美咲の笑顔は再び大輪になった。はじけるようにいう。

「そうしたら……わたしたち……ほんとうの……おともだちに……なれますか」

慶司はもう笑ってうなずくだけだ。美咲は母親が泣きだしたのが、不思議なようだった。

「おかあさん……慶司さんは……悪い人じゃないんだよ……泣いたら……みんな……悲しくなるよ」

慶司は最後に深々と親子に頭をさげて、タクシーにのりこんだ。神宮外苑にもどるように運転手に告げる。振り返ると遠ざかる車に、いつまでも美咲は手を振り、母親は頭をさげていた。

セックスでしか女性と出会えなかった自分と、一度も男性とつきあったことのない美咲。どちらも初めてだから、きっとこれからもたいへんだろうが、意外と似あいのふたりかもしれない。獲物がひとつもかからずに手ぶらでかえる土曜日の夜、それがこれほど満ち足りているのが、慶司にはひどく不思議だった。

1ポンドの悲しみ

白い廊下が視線のはるか先まで続いていた。人の姿は見あたらない。壁のところどころにちいさなアルコーブがえぐられ、生花のはいった花瓶がダウンライトに浮きあがっている。大久保豊樹《おおくぼとよき》は部屋番号を確かめながら、ゆっくりと歩いた。ほぼひと月ぶりなのに、ここまでくると再会を先に延ばしたくなってしまう。心は奇妙なぐあいに逆巻《さかま》いたりするものだ。厚いカーペットのせいで足元は不確かで、音はまったくしなかった。

3717。金色のプレートが埋めこまれた扉のまえに立つ。ここが今回のデラックスダブルの部屋だった。地方都市のホテルなので、東京のスイート並みの広さがある。何度も利用しているので、室内の様子はわかっていた。豊樹は舌の裏にたまった粘りの強い唾液をのんで、三回ずつ二度ノックした。

「目を閉じて、そこで立っていて」

早瀬真帆《はやせまほ》の返事はドア越しにくぐもっていた。すぐにもどってきたところをみると、ずっと豊樹がくるのを待っていたのかもしれない。豊樹は目を閉じ、全身の力を抜いて、ダブルルームの扉のまえに立った。

鍵のはずれる冷たい音がして、身体にゆらりと空気の動きを感じた。扉が開いたようだ。真帆がつかっている天然成分だけでつくられたボディソープのにおいがした。眠れない夜にふと思いだすにおいである。彼女はもう先にシャワーをすませているのだろう。

「目を開けてもいいかな」

「だめ。今日はわたしにさせて」

真帆の声がくぐもっていたのは、ドア越しだったせいだけではなかった。普段は落ち着いた声が、興奮でざらつき、かすれている。

「いいけど、なにを……」

豊樹がそういいかけたところで、手をつかまれ室内に引きこまれた。背中でドアが閉まる音がする。部屋のなかの暗さは目を閉じていてもわかった。勢いよく布のこすれる高い音が背中越しに鳴って、つぎの瞬間豊樹は目隠しをされていた。肌をすべるなめらかな感触でシルクだとわかる。冷たい闇が頭に巻きついたようだった。きっと真帆の勤めるプリンシプルの新作スカーフなのだろう。

「立つ場所はここでいいの」

肩から一泊分の荷物がはいったショルダーバッグがおろされた。バッグがソファにでも投げだされる鈍い音がする。真帆の見えない手が豊樹の襟元にかかって、新品のジャケットが脱がされた。一瞬の間をおいて真帆がいった。

「あら、これ、うちのブランドのメンズラインだったんだ。お買いあげ、ありがとうございました。今日はたっぷりサービスしちゃおかな」

仕事柄、必ず真帆がジャケットの裏側を確かめるのを豊樹は知っていた。そのために東京の店で、わざわざこの麻のサマースーツを買ったのである。真帆は第二ボタンまではずれたシャツの胸に片手をすべらせ、とがった爪の先でひっかくように乳首にふれた。豊樹は右半身だけ鳥肌が立つのがわかった。真帆の右手は白いシャツの第三ボタンをはずしている。

「わたしにいってくれたら、社員割引で買えたのに」

豊樹は声の調子を変えないように、神経を集中させなければならなかった。

「神戸のきみの店までいったら、新幹線分高くつくよ」

真帆の両手はパンツにはいったシャツの裾をずるずると引きだしていた。ボタンがあらわれるたびにはずしていく。そのあいだも思いだしたように豊樹の乳首に爪の先でふれるのを忘れなかった。ふくみ笑いをして真帆はいう。

「そ知らぬ顔で店にきて、スーツを買ってくれたらうれしいな。そうしたら、フィッティングルームでうんとサービスしてあげる」

「へえ、どんなサービス」

そういったとたんに豊樹は下半身に抱きつかれて、よろけてしまった。ラグビーのタックルのような激しさだった。尻にまわった両腕は固く結ばれ、ベルトを締めたままのパンツのまえ立てに真帆の顔が押しつけられている。豊樹のペニスは半分ほどの硬度で、まだ真帆の頬骨のほうが硬かった。

「熱くなってるね」

真帆は豊樹の腰のにおいを胸に吸いこんでいるようだった。

「おいおい」

豊樹が腕をはずそうとすると、いっそう強く真帆は腰を抱いてきた。いやいやをするように顔を押しつける。豊樹は右手で真帆の頭をなでた。やわらかな髪をとおして、驚くほどの熱が伝わってくる。真帆の身体は震えていた。泣いているのだろうか。豊樹が目隠しのスカーフをはずそうとすると、真帆がいった。

「だめ。そのままでいて」

豊樹は絹の手ざわりを指先から離した。

「泣いてるの」

真帆は腕を解《と》いて、ベルトに手をかけた。かちゃかちゃとバックルのこすれる音は、これから始まる心躍る時間へのにぎやかな前奏のようだ。

「そうかもね。でも、豊樹にはわたしがどんな気もちで、今日のこの瞬間を待っていたか、わからないだろうな」

すっかりまえの開いたシャツを豊樹が脱ぎ落とすと、ほとんど同時に真帆がパンツをおろした。くしゃくしゃにまとわりつく布の感触を脛《すね》に感じた。裏地のついていない部分が、ちくちくとふくらはぎを刺す。真帆は片方ずつローファーを脱がして、裸足の足先をパンツから抜いてくれる。

「ウールのパンツだったら、このままいじめちゃうんだけど、麻だもんね。ハンガーにかけてくるから、そのままでいて」

豊樹は腕時計だけつけた下着姿で目隠しをされて立っていた。音と空気の流れで真帆がクローゼットからこちらにもどってくるのがわかった。指先がふれるまえに身体の前方から熱い風のようなものが吹いてくる。真帆の身体が放つ熱だ。まるでオイルヒーターのまえに立たされたようだった。真帆は豊樹の胸の骨のくぼみに唇を寄せてささやいた。

「この身体に会うのに、一カ月もかかったんだ。わたしはまた十二分の一歳、年をとったんだね」

同じ年だから、真帆は三十五歳になる。豊樹は真帆がいくら年をとろうが、いっしょに年齢を重ねられるならかまわなかった。重力には逆らえなくなった乳房や尻にも親しみを感じはするが、それで魅力が損なわれたとは思わない。

「年をとってもいいよ。真帆はスタイルいいし、しわくちゃでもたれたれでもないんだから、考えることなんてない」

「あのね、気にしてるんだから、冗談でもそういうこといわないでくれる」

真帆は笑いながらそういうと、薄い下着のうえからしっかりと豊樹の尻のふたつの丸みをにぎった。わき腹のあたりに引っかかりを感じて、豊樹はいった。

「今日はまたあのブラ、つけてるんだ」

それは三カ月まえのデートで買った四分の一カップのブラジャーだった。バストトップは隠さないオフホワイトのもので、同じ色のショーツとあわせると、肌の白い真帆はなにも着けていないように見えた。ただ体形だけが補正され、乳首も尻もうえをむいて見えるのだ。ヨーロッパの人間というのは、こんな下着を考えるために、あれほど複雑で微妙な小説や映画で予習をしているのかもしれない。

「ねえ、わたしのことを考えながら、ひとりでした」

真帆の爪はペニスを、足をもたない虫の速度でのぼってきた。豊樹は真帆と同じように熱をもった頭で考えていた。始まるまえのこの時間のほうが、始まってからよりずっといいと思うのはなぜだろう。実際に百パーセントの硬度に達するまえのほうが、ペニスはずっと敏感だった。豊樹が声を乱すのは、いつも最後の瞬間だけだが、そのときは目隠しをされて立ったまま、しゃくりあげるように息をのんでしまった。自分の声もざらつき、かすれているのが遠くできこえる。

「うん。したよ。真帆は」

豊樹の乳首を強めに吸って真帆はいう。

「わたしもたくさんした。でも、うれしいな」

豊樹はなにもいわなかった。真帆は胸に額をつけたまま話し続ける。

「不思議だよね。あなたがわたしのことを思って、たくさんひとりでしてくれるのがうれしいなんて。わたしもあなたのことを想像しながら、何回も何回もしたよ」

真帆の声がゆっくりとしたにさがっていった。ひざまずいているのだろうか。豊樹のボクサーショーツに湿った息がかかってくる。

「十年もまえだったら、そんなこと不潔だって思ったもの。二十代のわたしは、あと十年したら誰かと結婚して、子どもをひとりかふたり生んで、セックスなんて飽きてしまって、衣替《ころもが》えみたいに年に二回くらいするだけだろうなって思ってた。なにかの設備の定期点検みたいに。どうせセックスなんて、その程度のもので、たいしたお楽しみじゃない。おばさんなんてセックスする必要なんかないって思っていた」

真帆の指は薄手のコットンのうえからペニスをつつき、その反発を楽しんでいるようだった。

「でも大間違いだったなあ。あのね、わたし今がこれまでの人生で一番いいんだ。四十歳になって、もっとよくなったら、きっと死んじゃうと思う。ほんとに不思議ね。胸だってお尻だって垂れてくるし、肌の張りもなくなってくる。身体は若いころとは比較にならないのに、そのしたの神経は研ぎ澄まされて、ものすごく敏感になるなんて」

豊樹は真帆の頬をゆっくりとなでてやった。真帆は唇で指先を捕らえると、前歯で軽くはさんで爪の先の丸さにそって舌を動かした。いたずらっ子のように笑っていう。

「半分はあなたのおかげだけど」

指先にさわる舌の感触をなつかしく感じながら、豊樹はいった。

「どうかな。きっとほんとうの意味で真帆が大人になる時期に、たまたまぼくに会っただけだよ。ぼくじゃなくてもきっと真帆は咲いたと思う」

彼女の声はさらにさがった。ほとんど床すれすれのところからきこえてくる。

「でもあなたじゃなかったら、こんなふうには咲かなかった。それだけは、確か。だから、豊樹にはすごく感謝してる」

真帆はそういい終えると同時に、豊樹のひざに伸ばした舌を押しつけた。ゆっくりと回転させるように脱力した舌をつかう。そこは本来なら真帆の場所だった。豊樹がいつもすることを、今回は真帆がしているのだ。目が見えないせいで神経がとがっているのだろうか、太もものつけ根までつよい震えが起きてしまう。豊樹はなんとか真帆の胸の先にでも仕返しをしようと手を伸ばした。内ももの肉をつかんで真帆はいう。

「今、ここがぷるぷる震えたよ、かわいいね。ねえ、手はうしろにまわしてくれない」

しかたなく豊樹は両手をうしろで組んだ。シルクの鳴る音がして、手首がくくられた。

「真帆はこの一カ月、こんなことばかり想像してたの」

「うん、そう」

いきなりアキレス腱《けん》を軽くかまれる。豊樹はその場で飛びあがりそうになった。

「最近ね、してもらうのもいいんだけど、すごくしてあげたい気もちになる。あれこれ考えると、眠れなくなることもあるんだ。そんなの豊樹が初めて」

今度は太ももの裏側を湿った感触があがってきた。平静を装って、豊樹はいう。

「真帆はおばさんになるんじゃなくて、仕事のストレスでおじさんになったんじゃないか。ブティックのほうはうまくいってるの、店長」

真帆はまた位置を変えたようだった。声は背中越しで、二メートルほどの距離からきこえた。下着姿でうしろ手に縛られたボーイフレンドを離れたところから見ているのだろうか。誰かの視線を背中に感じるのが、これほどあからさまなことだとは豊樹は予想していなかった。真帆の声は落ち着いている。

「うちのお店のほうはだいじょうぶ。ちゃんと離陸したから。でも、やっぱり関西では苦戦したなあ」

プリンシプルはアメリカ生まれのファッションブランドだった。上質な素材を、シンプルでシャープなカットで仕立てる。組みあわせがたやすく、抑えた高級感もあるので、首都圏ではすでにブランドイメージも販路も確立していた。

関西最初の旗艦店が去年の春、神戸三宮《さんのみや》のデパートにオープンしたとき、店長をまかされたのが真帆だった。洗練よりは華美を、造型よりも装飾を好む関西の女性たちに、最初の半年間はたいへんな苦労をしたと、豊樹はきかされたことがあった。

「うーん、ストレスでおじさん化したっていうのはあるかもしれない。明日だって、せっかくの日曜日なのに、早く帰らなくちゃいけないし」

得意客を集めて神戸のホテルで秋冬モデルの内覧会をやるのだという。店に割りあて分の半数はそこで予約がはいってしまうそうだ。

「じゃあ、新幹線は早いんだね」

うしろ手に縛られたまま、冷静に話しているのがなんだかおかしかった。真帆のため息は首のすぐうしろからきこえた。

「そう、三時まえのにのらなくちゃ。暗くなるまえにお別れなんて……」

豊樹は首筋に唇を感じた。つまむように軽いキスを繰り返しながら、唇は背骨をおりていく。真帆はとぎれとぎれにいった。

「明日のことを考えるのはやめようよ。せっかくふたりきりなんだから、集中しなくちゃ。ねえ、いじめてほしいところがあったら、いってね」

豊樹の尻の割れ目にそって、舌先が掃くように動いていた。声をあげそうになって、あわてて冗談でごまかした。

「はいはい、店長」

真帆は豊樹のうしろにひざまずいていった。

「店長はいいけど、ちゃんとまじめにね。今、すごく大切なことをしてるんだから」

「へえ、なにをしてるの」

真剣な声が尻のあたりから返ってくる。

「これからまたつぎの四週間忘れないように、あなたの身体をひとつひとつ確かめて、記憶しているの。わたし仕事だってこんなに真剣になることないと思う」

真帆は最後のところで爪を立ててボクサーショーツの底をもみほぐすように引っかいた。豊樹は今回は声を抑えられなかった。鳥肌が立ったのも身体半分だけではなかった。

肩をそっと押されてベッドに移ったのは、十五分後のことだった。何時間も立っていたように感じたが、そのあいだに真帆の両手と唇は豊樹の身体のすみずみまで探り、見つけた場所には必ず印をつけていった。途中から豊樹は自分にふれるのが、手なのか口なのかわからなくなった。湿っていたり乾いていたりする三枚の舌が、つねに身体の表面のどこかを移動しているように感じたからである。

豊樹は目を閉じて立ち尽くしながら、昔テレビで観た記録映画を思いだしていた。夜の砂漠の丘を越えて風が吹く。その風は見えないけれど、丘の斜面にさざなみのような風紋を残していく。風が吹くたびに、低い頂《いただき》は削られ、風紋の形は変化する。真帆の舌も同じだと豊樹は思った。目に見えぬままとがったところを舌で削り、身体の斜面を吹き抜けて、快楽の風紋を刻んでいく。

あおむけにベッドに横たわっても、豊樹の目隠しと両手は解かれなかった。倒されるまえにうしろで組んでいた手を、頭上で縛りなおされただけである。真帆の舌は全身の探査を終えて、下半身にとどまっている。ほかには特に変わったところはないけれど、真帆はとても唾液の分泌が多い女性だった。豊樹の腹のしたから内ももにかけて、広い範囲が唾液で濡れ冷えていた。いつもよりそれが冷たく感じられるのは、目を閉じているせいかもしれないし、まだ新しいホテルのエアコンのせいかもしれなかった。

真帆は豊樹の両脚を思い切り開き、脚のあいだに座りこんでいた。自分も舌をつかいたくなって、豊樹はいった。

「なめさせてよ。真帆は自分がぜんぜんされなくてもいいの」

真帆はわざと濡れた音を立てて、口を離した。唇から落ちた唾液が先端に溶けるように垂れる。

「うん、今日はいい。全部わたしにやらせて」

豊樹のつけ根をにぎる真帆の手に力がはいった。先端ははじけそうにふくらんでいる。今、針でつついたら水風船のように血が噴きだすだろうと豊樹は思った。その血は快感で黒く濁っているだろう。真帆がそうしたければ、そうされるのもいいかもしれない。

唾液を垂らしては、口をつけ、ときには頬ずりしながら、真帆は豊樹の快楽をうえへうえへと追いやっていった。ベッドに移されて最初は抑えていたが、しだいに声を漏らさないようにするのが困難になった。豊樹は自分がだしている切ない声を他人の声のようにきいていた。

「真帆、もうそれ以上やったらダメになる。ちょっと休ませて」

豊樹を口にいれたまま真帆が返事をした。

「……ら、め」

真帆は両手で豊樹をにぎり、思い切り頭を振った。それは容赦のない攻撃で、豊樹は真帆がこのままの流れを望んでいることがわかった。白熱した時間に水をさしたくないのだろう。それならば、それでいい。豊樹は自分を抑えるのをやめて、全身の力を抜いて最後の瞬間にそなえた。じりじりと快楽の水位はあがっている。男性の場合、その曲線は急角度の上昇を描く放物線になることが多いけれど、そのときの豊樹は違っていた。遠い炎であぶられているようだった。溶けだした脂が汗になって身体の表面を流れ、先端からは痙攣《けいれん》するたびに先ぶれが透明ににじみだしていく。目隠しの裏側にまぶしい光りを見た気がして、豊樹は叫んだ。

「もう、ダメだ」

真帆はそこで、口を離した。まだつけ根には手をそえている。なにをしているんだろうか。豊樹はなんの刺激も受けていないのに、腰の動きがとめられなかった。真帆の湿った左手が腰骨のうえにおかれたのがわかる。

「真帆、お願いだから……」

そのとたんに先端から呑まれていくのを感じた。真帆の内側はぬめり、抵抗を感じないほどやわらかく、熱した泥のようだった。真帆の腰はゆっくりとさがってくる。豊樹はまた記録映画を思いだした。今度は鮮やかな黄色と黒のまだら模様のちいさな蛇が、卵を呑むシーンである。蛇は硬い殻ごと卵を丸呑みして、消化管のなかでゆっくりと溶かしていくのだ。豊樹も自分が溶かされ、吸収されていくのを感じた。目を閉じていると、本来ならほんの十数センチの挿入が、何メートルにも感じられる。

豊樹は真帆の底にあたるまで、なんとかこらえようとした。だが、真帆が這うような速度で腰をおろしている最中にこらえきれずに達してしまった。吠えるような声をあげる。全身をびくびくと跳ねさせ、真帆のなかに射精した。ひと月に一度のこの夜のために真帆はピルをのみ続けている。

真帆は締まった腹筋のうえに両手をついて、豊樹をのりこなしていた。愛《いと》しい男が死にもの狂いで暴れながら、放つことをやめずにいる。自分自身がエクスタシーからは遠くても、波のように揺れるマットレスのうえで真帆は満足しているのだろう。この瞬間に真実がある。あとのすべてはただ生きるためのゲームにすぎない。純粋な快楽に磨かれた豊樹の心は鏡のように澄んで、疑いようのないこたえを選びだしていた。

真帆は豊樹がやわらかになり、自然に抜け落ちるまでうえにのったままでいた。胸にかいた汗をついばむようになめている。豊樹はいった。

「まいった。今日のはちょっとすごすぎたよ。手をといてくれる」

真帆は返事をする代わりにキスをして、頭上のスカーフをほどいてくれた。豊樹が目隠しをとろうとするとあわてていった。

「ちょっと待って。わたしがいいっていうまで」

ベッドをきしませて、真帆はどこかに駆けていく。部屋の奥から声がした。

「いいわ」

絹の布を頭からはずすと、同時に金属の部品がこすれる音が高く走った。豊樹はまぶしさに目を細めて、頭を起こした。窓の外には三十七階から広がる名古屋の街が、無限の複雑さを見せている。夕暮れの光りは細かな筆づかいで、すべての建物の西むきの面にあたり、空はロゼワインのように透明な朱に澄んでいた。

逆光のなか真帆の身体のシルエットが浮かんでいた。輸入下着で補正などしなくても、十分に見事な曲線である。窓辺にもたれて真帆がいった。

「さあ、シャワーを浴びて、シャンパンでものみにいきましょう」

急にのどの渇きを覚えて、豊樹はのろのろと身体を起こした。

「それに冷たいビールとステーキも。そうしたら……」

金色の酒で身体を内側から冷やし、血のにじむ肉の歯ごたえがほしくてたまらなかった。酒と肉と塩、なぜこんなときは単純なものばかりほしくなるのだろう。

真帆はクローゼットを開けて、バスタオルをだしている。背中越しにいった。

「そうしたら、どうするの」

目を閉じているとクローゼットのなかで響いた声がエコーして、やわらかでやさしげな調子になっているのがわかった。豊樹は前歯を見せて笑いかけた。

「つぎはきみの番だよ。覚悟しておくといい」

真帆がこちらを振りむくと、背中に深くななめのしわが走った。首筋にも撚《よ》りあわせたように浅いしわができる。豊樹はそこに生まれた陰が急にいとおしくなった。息もできずに見つめていると、真帆がいった。

「じゃあ、早くシャワー浴びなきゃね」

頰の片側にだけえくぼができている。そばに飛んでいって抱き締めたかったが、豊樹はなんとか我慢した。真帆はベッドの横をとおるとき、豊樹の胸にバスタオルを落としていく。鼻歌をうたいながらバスルームに消える真帆の代わりに、豊樹は大判のタオルをしっかりと胸に抱いた。

夕食はホテルのなかにあるカリフォルニアグリルの店だった。真帆はロブスターや帆立貝のシーフードグリルを、豊樹はステーキを頼んだ。その店はアメリカ風で、肉は霜降りではなくしっかりとした赤身だった。かみしめた肉から青い干し草のにおいがして、豪快に冷えたビールとよくあうのだ。

ゆっくりと食事をすませ、メインバーに移動する。酔ってしまうからといって、真帆はノンアルコールのカクテルを選んだ。本来は酒にはつよいのだが、これから始まる夜をアルコールでなまった感覚で迎えたくないのだという。豊樹はこのバーでも、レストランと同じ銘柄のビールを淡々とのみ続けた。自分はいくら酔っても、この気もちから覚めることはないだろう。

バーをでる直前に豊樹はささやいた。

「レディースルームにいっておいで」

真帆はおかしな顔をした。

「別にいきたくないけど」

豊樹は感情を消した顔つきになった。厳しい調子でいう。

「いいから。いったらそのストッキングと下着を脱いでくること」

ぱっと真帆の表情が明るくなった。目のしたが酔ったように赤く染まった。

「うえも、したも」

「そう、うえも、したも。それで脱いだやつは、このテーブルのうえにおくこと」

うなずいて真帆は席を立った。バーの照明は、名古屋の街の夜景よりも暗かった。遠ざかっていく真帆の背中はそのまま、夜の空に消えていきそうだ。


その夜、豊樹は真帆が先ほどしたのと、まったく同じことを繰り返した。ただ両手を縛ったのは絹のスカーフではなく格子柄のストッキングで、目隠しは四分の一カップのブラジャーに変わっただけである。

裸のままふたりは眠った。朝は十時すぎに起き、寝ぼけたままもう一度セックスして、チェックアウトの用意をした。いつもこのホテルをつかうのは、駅のすぐ近くにあるからだけではなく、チェックアウトの時間が十二時と比較的遅いからである。

ホテルをでるとコインロッカーに荷物を預け、手ぶらでふたりは歩きだした。ホテル棟のとなりは、地下二階から地上十一階まで巨大なデパートになっていた。前日の午後からずっとホテルの室内にいたふたりは、外を歩くのがただ気もちよかった。真帆は仕事柄女性ものブランドをのんびりとウインドウショッピングして、商品のディスプレイや今シーズンの売れ筋を確かめていた。

ブティックをつぎつぎとわたりながら、腕時計を確かめる。

「あと二時間だね」

最初に真帆が時計をのぞいた瞬間から、時間は砂のようにこぼれ始めた。女性もののファッションフロアをすべて見てしまうと、流行の雑貨店やセレクトショップをはしごした。豊樹は書店でほしかった本を見つけ、自分も読みたいという真帆のために二冊買った。

歩き疲れて紅茶専門店にはいる。豊樹は気づかれないように腕時計を見た。

（あと一時間）

スコーンとダージリンのアフタヌーンティーセットを片づけるあいだも、テーブルにのせた手をにぎったままでいる。このつぎに会ったらなにをしようかと豊樹がいうと、真帆はいたずらっ子のように笑っていった。

「わたし、これからひと月どんなふうにするか、ゆっくり考えることにする。電話もメールもたくさんして。わたしのことを考えながら、ひとりでしてね」

笑っていたかと思うと、真帆は急に涙目になった。豊樹はただ重ねたてのひらにそっと力をこめることしかできなかった。喫茶店をでて、コインロッカーにもどる。これからの時間がいつも一番つらいときだった。

バッグを肩に地下道を名古屋駅のコンコースにむかった。さまざまな人がそれぞれの目的地にむかう駅の構内を、しっかりと手をつないだままますすむ。できるだけホームに着くのが遅くなるように、ちいさな歩幅でゆっくりと歩くのだ。

豊樹は自分たちだけが、すごい速度で動いている世界から取り残されたように感じた。新幹線のくだりホームのエスカレーターをあがった。手すりにかけた真帆の腕時計を読む。発車時刻まであと十五分。豊樹の胸の砂時計は、雪崩《なだれ》の勢いで時を刻み始めた。

表面に凹凸を加工したアルミニウムの柱の陰に、豊樹と真帆は寄りそった。真帆は痛いほど豊樹の手をにぎりしめていた。視線はまだ列車のこない空っぽのホームを見つめている。

「やっぱりシェークスピアってすごいんだね」

真帆は豊樹の手を自分の胸にあてた。

「心臓に一番近いところの肉を1ポンド」

豊樹はようやく気づいた。確かあれは中学のときの観劇会で観たはずだった。

「『ヴェニスの商人』か」

真帆はちらりと豊樹を見るとまた空っぽのホームに視線をもどした。

「わたし、若いころは誰かと別れるとき、これほど悲しくなかった。というより、自分は恋をしてるんだから、ここで悲しまないなんておかしい。一度そう頭で考えてから、無理に悲しんでいた気がする。でも、今は違うの」

深呼吸をして、真帆は涙をこらえているようだった。

「豊樹と別れるたびに胸の奥の肉をえぐりとられるような感じ。切なくて、空っぽで、たまらない。ねえ、1ポンドって何グラムだったっけ」

豊樹はなんとか自分も涙を落とさないようにするのが精いっぱいだった。無理やり笑っていう。

「四百五十グラムくらい。心臓のそばの肉をそんなに取ったら、間違いなく死んじゃうな」

真帆はきっと正面をむいて低い声でいった。

「わたしはあなたと会って別れると、毎回死んじゃうけど」

頭上のスピーカーから、癖のない女性のアナウンスが響いた。まもなく新幹線が到着するらしい。そのあと奇妙にきどった英語が続く。

「ぼくも、同じように感じることがある。ぼくの場合は、真帆とは逆だ。自分のどこかが奪われるんではなくて……」

新幹線はなめらかな鼻先をゆっくりとホームに滑りこませた。豊樹は声を張った。

「この新幹線もきっとそうだよ。ぼくは思うんだけど、この世界はぼくたちの悲しみが動かしているんだ。世界中の恋人たちの、強烈な悲しみや喜びや快楽が、ほんとうは世界をまわしているんじゃないか。真帆と別れるときにはいつもそう感じる。だってさ」

豊樹は目のまえで泣いている女から目をそらせなかった。いつのまにか自分も同じように泣いていたからである。

「今ここから見えるものが、すべて悲しいもの」

ふたりはお互いの頬のなみだを指先でぬぐった。発車を知らせるチャイムが鳴っている。

「じゃあね」

「うん、じゃあ」

豊樹はさよならをいうあいだも、自分の悲しみでこの列車がとめられないか、試していた。真帆はその場で反転すると、うしろを振り返らずに新幹線にのりこんだ。空気の抜ける音とともに、ドアが閉まった。ゆっくりと車両はホームをあとにしていく。この世界や流れる時間をとめるには、きっとまだ自分の悲しみが足りないのだろう。豊樹はそう思って、となりのホームへ移動するために、明るい階段をおりていった。

デートは本屋で

　織本千晶《おりもとちあき》は本と男が好きだった。一番好きなのはもちろん本を読む男だけれど、千晶の勤める物流会社にはそんな男はひとりしかいなかった。もう二年以上まえに別れた島津直行《しまつなおゆき》である。彼とはいまだにオペレーションルームで会うたびに、最近読んだ本の感想を伝えあう仲だ。それでも復縁の可能性はゼロだった。

　二十代後半にくされ縁のように数年つきあった恋人同士は、そのまま結婚するか、あるいは別れたあとでほかの相手と電撃的に結ばれるか、ふたつにひとつである。直行は後者のほうの典型的なパターンで、千晶との関係を解消してから半年後には婚約していたのだ。相手は同じ部署にいる地味な女性で、千晶が負けているのは年齢だけだった。もちろん本好きでもないらしい。

　当人の口からそれを知らされた千晶は、泣きはしなかったが、猛烈に腹を立てた。千晶は別れた男が自分より冴えない女性とつきあうとがっかりするタイプなのだ。自分だって負けるつもりはないけれど、あんな別れの厳しさに耐えたのだから、彼にもがんばってステップアップしてほしい。

　そのときどのくらい千晶が腹を立てたかというと、ひと晩徹夜してスタンダールの『赤と黒』と『パルムの僧院』をまとめて飛ばし読みしたほどである。小説は記憶のとおりいきいきとおもしろかったけれど、つぎに読むのはまたひどく傷ついた数年後のことだろうと思った。だってスタンダールなんて、そうしょっちゅう読むものじゃない。

　そんな千晶にも、最近心が動く相手が出現していた。南条《なんじよう》高生《たかお》である。高生は精密機器会社のＳＥ《セールスエンジニア》で、月二回の定期点検と備品の補充ばかりでなく、トラブルが起きるたびに呼びだされてやってくる。

　背は高くスタイルもなかなかなのだが、いつも地味な紺のスーツに白いシャツをあわせ、ネクタイもほぼ同系色の沈んだものをしていた。なんだか冴えない高校教師のような雰囲気である。目はひとえで、白目と黒目がわからないほど薄い切れ長だ。そのうえの広い額に脂気のない前髪をひと筋たらす。すると若いころの筒井康隆に似た高生のできあがりである。

　千晶が仕事をしている部屋は、壁のスクリーンに巨大な東京都の道路地図が四色のＬＥＤで描かれている。交通量の多い中央の環状線は、動脈のように赤い点がうねりながらつながっていた。オペ室は中小メーカーから物流だけ請け負うロジスティックス専門会社の中枢だった。

東京都の地図は六つに分けられていて、千晶の担当は城北地区である。この六地区のあいだでは激しい競争がおこなわれていた。最少のトラック便数で、最大の荷を運び、積載率を限りなく百パーセントに近づけるのだ。もちろんたいていは季節要因や曜日ごとに便数をコントロールするだけで足りるのだが、それでも予想外の変動はつねに発生するのだった。気候の変わり目や行事などちょっとしたことで、荷の動きは急に活性化したりする。千晶はこの変化への対応が素早く、数の予測が的確だった。

三十二歳独身でショートカット、小柄でやせっぽっちの千晶が、歴戦の男性社員に混じってオペ室で異彩を放っているのは、たくさん本を読んでいるからだけではなかった。千晶はめったなことでは、ほかの男たちにトップの座を譲らなかったのである。自分では仕事と読書の因果関係はわからなかったけれど、本好きのつねでこれまでの読書経験が役に立っているのだと千晶は思いこんでいた。数の読みは正確だったが、案外論理的でないところが千晶にはある。

初めて高生ときちんと話をしたのは、トナー切れになったプリンターの横だった。

高生は補充のカセットを手に床にひざをついている。点検用の扉を開くとき、前髪が乱れて額を隠した。高生は無意識のうちに髪をかきあげる。繊細そうな指と鋭く腱の浮いた手の甲。血管は青くきりりと盛りあがっている。このヒトはちょっといいかもしれないと千晶が思ったのは、そのときである。いつもの癖で相手がどのくらい本を読んでいるか確かめたくて、さっそく本の話からはいった。

「南条さんって、本なんてけっこう読みます？」

オリジナルのプリントアウトをもったまま、千晶は神経を集中させた。ここでNOならこのときめきに未来はない。

「割と読みますね。今はミステリーが多いけど、昔はSFとか大好きでした」

ふーん、SFかあ、サイバーパンク以降、千晶もSFからは離れ気味だった。

「どのへんのSF作家が好きだったんですか」

「ル＝グウィンとか、ディレイニーとか」

高生はレーザープリンターの内臓に手をいれて、トナーで指をカラフルに汚している。落ちた前髪はそのままにしていた。ディレイニーは読んでもよくわからなかったけれど、ル＝グウィンは大好きな作家だった。千晶の目は飛びきりのまぶしいハンサムでも見つけたように細められた。

「ル＝グウィンはどのあたりが好きなの」

たいていはここで『ゲド戦記』の話になるだろう。あれが一番有名なシリーズで、ベストセラーになっているからだ。高生は千晶のほうも見ずにいった。

「『闇の左手』や『所有せざる人々』かなあ」

この人、合格だ、と千晶は叫びたかった。『闇の左手』は素晴らしいタイトルもふくめて、千晶の大好きな作品だった。自分でもびっくりしながらいってしまう。

「ねえ、南条さん、今度いっしょに本屋にいかない。南条さんが読んでおもしろかった本を教えてもらいたいんだけど」

高生は空になったトナーの容器をもって立ちあがった。

「あの、それはデートの誘いなんでしょうか」

高生もあわてていたようだ。トナーのついた手で前髪をかきあげてしまう。さらさらの髪がひと筋、そこだけメッシュをいれたように青く染まった。

「うん、そうかもしれない」

独身らしいことはきいていたけれど、千晶は高生の年も、恋人がいるかどうかも知らなかった。だが、三十代になって、もうまわり道は面倒だった。セックスの相性は努力で改善できるが、本を読まない男を読書家にするのは無理な相談だ。男たちはこと自分の生活スタイルについては、バカみたいに頑固なのである。知的向上心のかけらをもっている人なんて皆無に近い。

おしゃれなレストランやバーなどより、千晶には本屋のほうがずっとよかった。まだ読んでいない本が、ぎっしりと飾られた書棚の列には、ほとんどエロティックといえそうな吸引力を感じる。ある男性が熱中した本は、その人の学歴や職歴などよりずっと深いところで人物を語るのだ。

千晶は復旧したプリンターに書類をさして、コピーを取り始めた。高生はぼんやりと立ったまま、その場に残っている。やかましく排紙を続ける機械のわきから、千晶は高い位置にある高生の顔を見あげた。二十代の前半、必死に努力して身につけた最高の笑顔を、久々につくってみる。

「南条さんの名刺にメールアドレスのってましたよね。今度メール送ります」

高生は不思議そうな顔をして、廊下をもどっていった。すこし丸まった背中が、巨大なクエスチョンマークに見えて、なんだか千晶はおかしかった。


デートはその週の土曜日、新宿の大型書店に決まった。午後二時に正面入口のあたりで待ちあわせである。千晶は時間ちょうどに到着した。秋の新作はグレイとピンクのアーガイルのアンサンブルに、ツイードのパンツである。カーディガンのほうは袖をとおさずに肩に羽織った。したはノースリーブで、すんなりと伸びた二の腕は千晶のチャームポイントなのだ。化粧は会社にいくときの倍の時間をかけている。

大型書店の店先はたくさんの人でにぎわっていた。これで本が売れていないなんて信じられない話だ。千晶は本が好きだったから、ますますたくさんの本が出版されているのに、全体の売上が年々落ちていくのが残念だった。人が多いのは土曜日の新宿のせいばかりではないようだ。両開きのガラス扉の横にはワゴンがでていて、スーパーの特売品のように同じ本が積みあげられている。その本の作者が二時からサイン会をするという。告知板の横には、格好をつけた作家の顔写真も貼りだされていた。いい年なのに妙に若づくりで、にやけている。別れた直行に似ているせいもあって、千晶はその作家は読まず嫌いだった。サイン会待ちの行列は、すでに店の奥の階段のうえまで伸びていた。

（それにしても南条さんは遅い）

いらついて携帯の液晶画面で時間を確かめていると、本屋の一階フロアに拍手とため息が流れた。編集者につきそわれて、作家が入場したのだ。入口わきのスペースに用意された白い布のかかった机にむかう。細みのジーンズに、胸に荒々しく花束が手描きされた白いシャツ。へえ、この人、写真より実物のほうがいいじゃない、今度読んでみようかな。千晶は別にファンではなかったから、すこし離れた場所から作家を冷静に観察していた。

店長がサイン会の開始を告げて、注意事項を述べたあとで、その作家がマイクを取った。

「ぼくのサイン会では、撮影も握手もお好きにどうぞ。せっかくきてくれたのだから、みなさん楽しんでいってください」

また拍手と歓声が起こった。ちょっとやかましかったが、こういうのもいいかもしれない。以前千晶は大好きな作家のサイン会にいったことがある。その作家はもう初老といってもいい年だったけれど、シャイで目を伏せたまま殴り書きのサインを続けていた。どうせサイン会を開くなら、目をあげてこちらに顔を見せてくれてもよさそうなものなのに。そのときの本はすごくおもしろかったけれど、サイン会の印象はさびしいものだった。

だが、こちらの作家はひとりひとりと握手をして、携帯電話のカメラでもかまわずに読者と並んでポーズをつけていた。どんどん人が動いていく。階段へ続く行列のなかに千晶は高生の顔を見つけた。

高生は千晶に気づくと、笑って手をあげた。オレンジ色のハイゲージのセーターにベージュのコットンパンツ。足元は柿色の革のスニーカーだった。私服のセンスは案外いいのかもしれない。

数分後に順番がまわってくると、高生は笑顔で作家と握手をした。なにか話している。千晶は店の反対側からそれを見ていた。高生は千晶のところにやってくると、にっこりと本をさしだした。

「約束時間のまえにはきていたけれど、好きな作家のサイン会があるってわかって、列に並んじゃった。遅れて、ごめん。これ、プレゼント」

千晶はカバーのついていない本を受け取り、表紙を開いた。まぶしい銀の文字が躍っている。

「織本千晶さま　LOVE」

そのあとは作家のサインだった。千晶は勢いのある大文字のLOVEを見つめた。Eの最後の横棒の尻に油性インクがたまって、ちいさな銀の湖のように光っている。

「さっき、なにを話していたの」

高生はなんでもないというように肩をすくめた。

「この千晶さんとは、どういうお知りあいなんですかってきかれた」

千晶は顔をあげて、感情の読みにくい切れ長の目を見た。

「今日、初めてのデートなんですけどっていったら、そう書いてくれたんだ」

若づくりだけど、しゃれたことをするじゃないと千晶は思った。

「その本はけっこうおもしろかったよ。ぼくはもうもってるから、それは織本さんにあげる」

初めてのデートで本のプレゼントをくれる人。千晶のなかで高生のポイントが急に跳ねあがった。背後のサイン会に目をやる。作家はヒップホップファッションのギャングっぽい少年と肩を組んで写真を撮っていた。あの作家は確か十冊くらいは本をだしているはずだ。サインのお礼に、今日はなにか一冊買ってかえろう。そんなふうに自分のお金を意思表示のためにつかえる。それは千晶が仕事を続けるおおきな理由のひとつだった。

千晶と高生はにぎやかなサイン会の会場を離れた。静かに本を選ぶには、そこはすこしやかましすぎたし、まぶしすぎたからである。

千晶はエレベーターを待ちながら、高生を見あげた。一度好印象をもつと、男のあごの線までどこか精悍《せいかん》に見えるから不思議だ。

「南条さんの好きな本がある売り場へ連れていってくれる？」

高生も緊張しているのだろうか。すでに点灯している↑ボタンをまた押した。

「織本さんは退屈するかもしれないよ」

千晶は勇気づけるようにいう。

「おおきな本屋さんて、すごくたくさんの本があるでしょう。いつも自分の好きなところばかり見ちゃうから、ぜんぜん別なコーナーを教えてもらうと新鮮でうれしいんだ」

ほかの客といっしょにエレベーターにのりこむと、高生は六階のボタンを押した。居心地の悪い沈黙のなかで、千晶は案内板を見た。六階は、工学・医学・薬学・物理化学のフロアだった。確かにひとりでは絶対におりない階である。

エレベーターをでたのは、千晶と高生だけだった。高生は冷房の効いた静かな書棚のあいだをすこし先に立って歩いていく。本たちがあげる声は、ひどくか細い。これくらいの静寂のほうが、背表紙からきこえてくる囁きをきくにはいいようだった。

高生は工学のコーナーで立ちどまった。千晶はざっとあたりの平台《ひらだい》の書名を読んだ。

『最新ファクトリーオートメーション』

『近代工場の誕生』

『数値制御Q&A』

どれもちんぷんかんぷんである。高生は二番目の本を手に取った。

「ぼくは理系だった。ほんとうはSEではなく、工場で働きたかったんだ。子どものころ、うちのそばに町工場があって、そのなかを見ているのが好きだった。自動旋盤が何台も並んでいて、完成した部品があちこちでこつんこつんと音を立てて落ちていく。昔ながらのカムとタペットとロッカーアームががちゃがちゃいって、機械油と削った金属のにおいがする。それがすごくなつかしくていいにおいなんだ」

千晶は町工場をそれほどロマンチックに感じたことがなかった。高生はSEの仕事をしているときとは別人のやわらかな表情をしている。

「工場は科学技術と経験から生まれる現場のものづくりの智恵を最適化した解答なんだ。この時計を見てごらん」

高生は腕時計の革ベルトをはずした。

「これは国産メーカーのものだけど、なかなかいい品なんだ。金属ケースの組み立て精度もメッキや磨きの見事さも、十倍の値段はするスイスメイドにひけをとるものじゃない。日本の製造業はまだまだ底力をもっているんだ」

高生はケースを裏返して見せた。ちいさなケースの裏側はそのまま鏡にでもつかえそうななめらかさで、のぞきこんだ千晶の目を映している。目は二の腕と並んで自分の身体で好きなパーツだった。この人は「プロジェクトX」みたいな番組が好きなのかなあ。千晶はまるで別のことを考えながら、たっぷりと高生に視線を送った。

高生は千晶のチャームポイントなどまるで気づく様子もなく、工場の本を書棚から抜きさししていた。数冊選ぶとこわきに抱えて、レジにむかった。

「じゃあ、つぎは織本さんの好きな本のコーナーに案内してくれるかな」

本好きの男にも問題があることに、とうに千晶は気づいていた。なんというか女性が送るシグナルには鈍感なところがあるのだ。広くてまっすぐな背中にいった。

「苗字じゃなくて、したの名前で呼ぶことにしない」

高生は振り返ると、困った顔をした。

「千晶……さん、クライアントだからいいにくいなあ」

千晶は早足で高生と肩を並べると、にっこりと見あげていった。

「それでいいみたい。わたしも高生さんでいいよね」

これと思った男にはけっこう積極的になる。十代のころから千晶の恋愛の癖は変わっていなかった。でも、恋愛なんてそんなものではないだろうか。最初にうまくいった技を、飽きずにいつまでも繰り返す。いくら失敗したって、そんなにたくさんの技法をつかいこなせるはずがないのだ。

恋にはきっと0か1しかなくて、相手と別れたとたんにすべてがリセットされるのだろう。千晶が感じているときめきは、初恋のころとまるで変わらなかった。

千晶が高生を連れていったのは、四階の自然科学のコーナーだった。小説以外では植物の本を読むのが好きなのだ。千晶はそこで十八世紀の植物図鑑の複製を、サイン本のお返しに高生に買った。熱帯の植物の鮮やかなさし絵が、たっぷりとした余白を生かして配置された大判の本で、書見台（千晶はリビングルームにそんなものをおいていた）などに開いて飾っておくだけでも、素敵なインテリアになる本だった。

高生は礼をいって受け取ると、千晶の手元を見た。その書店は最上階にカフェがあり、三千円以上の買いものをすると、ドリンクの無料サービス券をくれる。

「千晶さん、お茶でもしようか」

ちょっといいなと思う男に名前を呼ばれるのは、いい気分だった。ふたりは今度はエレベーターでなくエスカレーターをつかった。それぞれのフロアの雰囲気や人の混雑ぐあいを眺めたかったのである。デパートと同じで、そこに集まる客の姿を見るのも大型書店の楽しみだった。

表通りに面した九階の窓際には長い木製のカウンターがつくりつけになっていた。千晶と高生は、となり同士に並んで正面に目をやった。窓の外は秋の新宿である。ビルとネオンサインは視界の遥か彼方まで、原色の波のように続いている。下方の通りには残暑に負けずに秋の装いをした女性たちが、姿勢よく歩いていた。男女の比率は三対七くらいだろうか。男たちはこんな天気のいい土曜日に、部屋のなかでなにをしているのだろうか。高生がグレープジュースをひと口のんでいった。

「この窓ガラスあるよね」

千晶はうなずいた。またどこかの工場の話なのだろうか。

「なぜ、こんなにたいらでまっすぐ均一につくれるか、わかる」

まったくクイズ番組みたいだった。だが、千晶は多くの女性がそうであるように雑学に強い男に弱かった。三十代でも許される程度にかわいらしく首を振る。

「わからない」

「浮かべるんだよ。よくフロートガラスっていうよね。溶かしたガラスの原料を溶けた金属のプールにゆっくりと注いでいくと、比重が軽いから上澄みたいに浮いてくる。それをガラスの上側は表面張力で、下側は金属との境の界面張力でまったいらになる。それをゆっくり冷やすと、こうしてものすごくきれいで、精度の高い板ガラスができるんだ」

千晶はアイスティーをゆっくりとのんだ。頭のシャープな理系の男というのもタイプである。こんな雑学を何日かにひとつきけたら、楽しいかもしれない。そろそろ勝負のカードを切る時間だった。

「あの、わたし、高生さんのことをぜんぜん知らなくて、デートに誘っちゃったけど、迷惑じゃなかった？　ガールフレンドとか、いるんですよね」

高生は窓の外の淡い秋空を眺めていた。千晶は息をつめて、男の横顔を見つめた。

「いない。ぼくはバツイチで、女性にはこの数年うんざりしていた。なんだか同じ間違いを繰り返しそうで、誰ともつきあっていなかったんだ。離婚したうちの奥さんはいってたよ。あなたは本ばかり読んで、つまらない科学の話ばかり。理屈っぽい男ってうんざりするって」

同じ年くらいの男性で、しかもちょっといい男ならいろいろあるだろうと千晶もわかっていた。自分もこれまで二度ほど結婚しそうになったことがある。

「その女の人は、本は読まない人だったの」

高生は千晶のほうを見て、愉快そうに笑った。

「千晶さんの場合、相手が好ましい人間かどうかは、全部本を読むか読まないかで決めちゃうみたいだね。本フェチなのかな。彼女はまったく読まないタイプだった。休日には外にでかけなければ気がすまなくて、静かに本を読むなんてできない人だったよ」

千晶はぽつりといった。

「あれは『ある愛の詩《うた》』だったかな。大学生のカップルがひとつのソファに互い違いに寝そべって、別々に本を読むシーンがあったでしょう。あれが、わたしにとっては恋愛のなかで一番まぶしいイメージだったんだ。あの映画を初めて観た高校生のころから」

高生は不思議そうな顔で、ぶどうのジュースをのんだ。

「そんなことなら簡単じゃないのかな。千晶さんなら、そんな男はいくらでも立候補してきたよね」

千晶はちいさく首を振った。自分のいけていないところは、誰よりも自分が知っている。男にちょっとほめられたくらいでは、なかなか自信はもてなかった。

「ひとりだけしかいなかった。その人とも別れちゃったし」

高生は千晶のほうを見ずにいった。

「総務の島津さんだよね」

「えっ、なんで知ってるの」

切れ長の目が恥ずかしそうに細まった。工場マニアの理系でも、こんな目をすることがあるんだ。

「ふたりでよく本の感想を話していたでしょう。ぼくは機械のメンテナンスをしながら、きいていたんだ。とても他人のような雰囲気じゃなかった。本の話をしているときの千晶さんは、なんていうか……けっこう、いけてたよ」

目のまえの新宿の街に新しい日がさしたようだった。千晶は心を動かされていた。視界全体が汚れをぬぐわれて、さっと明るくなった。ほんの五文字の言葉が生む力に、千晶は心を動かされていた。高生は表情を硬くしている。一世一代の殺し文句をはいたあとには見えなかった。

「それで、今日はこのあとだけど……」

千晶はそこでようやくわかった。高生はデートの続きをどうしようか困って緊張しているのだ。自分を誘うために緊張する男が、まだいたなんて。千晶の心の目に映る書店のカフェは、さらに彩りを増していった。千晶は救いの手をだした。

「今日は予定がないから、ちょっと早いけど明るいうちに、冷たいビールでものまない？　わたし、高生さんと話したいことがいっぱいあるみたいな気がする」

高生はほとんど目を閉じそうに細めて笑った。

「どうせ、これまで読んだ本の話なんでしょ」

千晶は少女のように舌の先をのぞかせた。

「うん、そうだけど、それが一番わかるんだよ。あなたがどういう人で、なにが好きか。

心の底でどんなふうに生きたいと思っているか」

千晶は窓のむこうを見ている高生にいいたかった。これほどたくさんの本が書かれているのは、そのせいなのだ。本はひとつひとつがちいさな鏡で、読む人間の心の底を映しだす力がある。

すり傷だらけのカウンターのうえにおかれた高生の手に千晶は視線を落とした。この手にふれられるのは、またつぎの機会でもいいだろう。今日が初めてのデートだ。千晶はもったいぶるつもりはなかったけれど、クライマックスを先に延ばすのも楽しいような気がした。

千晶は好きな本ならば、いつまでも読んでいたいと思うタイプだった。高生と千晶の物語にいつか最高の山場がやってくるとしても、そこまでのページにも、きっと素敵なサイドストーリーが待っているに違いない。

千晶はカウンターのうえでサイン本を開いた。輝やく銀の大文字が躍っている。わたしたちの本は、今日この瞬間にこの言葉から始まるのだ。それがどんな結末をむかえるにせよ、千晶は途中で読むのをやめるつもりなどなかった。

秋の終わりの二週間

秋の終わりの特別な二週間は、伊沙子《いさこ》の誕生日から始まった。ここ数年、その日には夫の俊隆《としたか》といっしょに食事をするのが習慣になっていた。午後六時にはマンションをでなければならない。フリーライターの伊沙子は自宅の一室を仕事場にしているので、パソコンの電源を落とすまえに、メールの確認をした。急を要するトラブルなど、なければいいのだが。

届いているのは一通だけだった。差出人は昔勤めていた会社の同僚の谷琴美《たにことみ》である。琴美からのメールといえば、うまくいっていない結婚の愚痴と決まっていた。読むのはあとまわしでいいだろう。いくら友人が困っていても、不誠実な配偶者の不愉快な話を、誕生日のディナーのまえに読まなければならない理由などない。

伊沙子はパソコン本体、液晶モニタ、プリンターと順番にスイッチを切っていった。仕事中は気にならないかすかなファンノイズがとまり、仕事部屋に静けさがもどってくる。ようやくこれでオフの時間が始まるのだ。フリーランスで、そのうえ自宅をオフィスにしていると、私生活と仕事の区別がつきにくいのだった。

伊沙子は流行の歌をハミングしながら、寝室の化粧台に移動した。普段はあまり化粧などしないのだが、その日はしっかりとベースからつくりあげた。三十四歳になったばかりにしては、しわやたるみのない肌だった。化粧をする習慣がないので、皮膚呼吸がうまくできるのかもしれない。それとも琴美にすすめられてのんでいるコラーゲンのせいだろうか。

眉を引き、目のうえに影を落とし、唇の輪郭をいつもより二ミリほどはみだして塗った。元から顔の造作がはっきりとしているので、きちんと化粧をすませると、インド映画の女優のようだった。あの情熱的なベリーダンス。確か去年のディナーのあとは、この寝室ではなく、マンションの玄関先で立ったたましたのだ。なぜか俊隆は伊沙子の誕生日の夜には激しくなるのだった。

あの人ももう年だし、仕事もいそがしそうだから、今年はもうあんなことはないかもしれない。まあ、たまにはちょっと激しいのもいいけれど。伊沙子は肩と胸を思い切り露出したビスチェをかぶり、チャコールグレイのパンツスーツを身につけた。最後に襟に毛皮のついた黒いロングコートを羽織る。靴は昨晩磨いておいたエナメルのパンプスが玄関に用意してある。琴美からつけられたあだ名は「すっぴんの伊沙子」だったが、わたしだって決めるときには決めるのだ。

玄関先の姿見のまえで、ユリの花びらのようにコートの裾をふくらませて一回転する。髪も自然な感じで流れていた。伊沙子はこつこつとヒールの音も高らかに、マンションの外廊下を歩いていった。

俊隆の会社は四谷見附《よつやみつけ》にあった。社員が五名のちいさな広告プロダクションである。この不景気で経営は楽ではないようだが、それでも創業から十二年なんとかしのいできた。建物は表通りからひとつはいった住宅街にあるコンクリート打ちっぱなしである。完成させるのをあきらめてしまった灰色の積み木のようだ。

なかには個人の住居もあるようだが、ほとんどは個人事務所やちいさな会社のオフィスとしてつかわれている集合住宅だった。設計した若い建築家も気にいって、自分の作品のひと区画を仕事場にしているという。伊沙子はむきだしのコンクリートは嫌いだったが、夫はモダンな建築が好きなのだ。階段をのぼって、二階にある扉を開ける。

「こんばんはー」

明るく声を張る。室内は造りが変わっていて、背の高い二階建ては三層のスキップフロアになっていた。吹き抜けをとおって一番うえの社長室から、俊隆の声がした。

「おー、よくきたな」

玄関先までアシスタントデザイナーの吉井エリカが出迎えにきてくれた。来客用のスリッパをだしてくれる。

「ありがとう。これ、あとでみんなでたべて」

伊沙子はレアチーズケーキをわたした。俊隆は女の子を外見重視で採用するので、かわいい子ばかりである。その点では会社に顔をだすのが、伊沙子は楽しかった。

「ありがとうございます」

エリカは明るくいうと、声をひそめた。この事務所はすべて吹き抜けでつながっているので、会話がつつ抜けなのだ。

「藤木《ふじき》さん、今日は午後からずっとそわそわ落ち着かなかったんですよ。夜は伊沙子さんとデートだからって」

結婚して七年目でも、まだ俊隆には負い目があるのだろうか。それでこれほど大切にしてくれるのだろうか。エリカはちいさな声でいった。

「やっぱり自分よりうんと若い奥さんをもつのって、男の人の理想なのかな。伊沙子さんみたいに毎年素敵な誕生日プレゼントもらえるなら、わたしも年上の人にしようかな」

伊沙子は笑った。そんなものだろうか。年が離れていようがいまいが、結婚なんて一度始まってしまえば、ただの共同生活だ。そこにはロマンチックなものがはいりこむすきまはほんのすこししかない。伊沙子は去年の忘年会でエリカのボーイフレンドを紹介されていた。

「どうかな。加賀見くんだって、カッコいいじゃない。うちのなんて、必死に腹筋やってもぽっこりお腹がでてるんだから」

頭のうえからスリッパの音がした。手すりから俊隆が顔をのぞかせている。

「誰が年寄りで、腹がでてるんだって。エリカ、仕事しろ。明日は午後イチで打ちあわせだぞ。ちゃんといい絵探しとけ」

はーいと返事を伸ばして、アシスタントが机にもどると、俊隆が階段をゆっくりとおりてきた。数年まえに伊沙子がプレゼントした絹のアルマーニのジャケットを、また着ている。なにか行事がある日には、最近はいつもこの格好だった。髪はもう半分白くなり、生えぎわもかなり後退している。出会ったころはたいらだった腹は、ベルトで上下に丸く区切られていた。それもしかたなかった。この人はつぎの誕生日で、五十の大台にのるのだ。

「お待たせ。じゃあ、いこうか」

伊沙子はうなずいて、パンプスに足をいれた。かがんだ尻を、俊隆が掃くようになでた。無言で手をはたき落とす。俊隆は社長の声をだした。

「今日はもどらないから、戸締りだけはきちんとしてくれ。それじゃ、よろしく」

四谷見附の交差点にでると、伊沙子はさっさと地下鉄の駅にむかって歩いた。俊隆が背中から声をかけてくる。

「どうせだから、タクシーでいこう」

もったいないじゃないといおうとして振りむくと、夫はすでに車の流れに手をあげていた。目のまえにすべりこんできたタクシーの扉を押さえていう。

「さあ、先にのりなさい」

この人はときどき強引なこともあるけれど、それが魅力だったりもするのだ。伊沙子は最近増えてきた紺色のタクシーにのりこむと、夫のために席を空けた。

「新宿のパークハイアットまで」

「かしこまりました」

色だけでなく、ドライバーまでハイヤーのようにていねいだった。俊隆は窓の外を眺めていった。

「伊沙子は、またひとつ年をとったな」

新宿御苑の緑が暗く街の底に沈んでいた。そのむこうは高層ビルにぎざぎざにかじられた東京の明るい夜空だった。

「うれしそうにいわないでよ」

俊隆はぽんと伊沙子のひざをたたいた。

「だってしかたないだろう。うれしいんだから」

やっぱりこの人はおかしな人だ。伊沙子はそう思って、俊隆とは反対側の窓の外を見つめていた。もうすぐ冬になるが、あたたかな夜だった。女性は今年買った新品を早く披露したくてコートを着ているが、スーツ姿の男性はほとんどコートを着ていなかった。誰もがどこか澄まして、姿勢よく歩いている。伊沙子の好きな都会の夜だった。

ホテルの車寄せでとまったタクシーをおりると、長身のドアマンに迎えられた。俊隆は耳元でささやく。

「ここのドアマンはみんなモデルみたいだな。どうせ顔と身長でとってるんだろう。昔は男は顔でなんか勝負しなかったもんだが」

適度な暗さの廊下を奥のホールにむかった。高速エレベーターは、ほんのひと息で五十二階までふたりを連れあがってくれる。魔法の絨毯《じゅうたん》にでものせられたようだ。扉が左右に割れると、正面は夜空を背景にした竹の植えこみだった。葉がまったくそよがないので、実物大の精巧な模型に見えた。

一段と暗くなったロビーを、伊沙子と俊隆はゆっくりと歩いていった。サラリーマンのグループとすれ違うと、俊隆はいった。

「あいつらからすると、おれたちはどんなふうに見えるのかな」

それは夫の好きなゲームである。伊沙子は調子をあわせた。

「父と娘」

「そこまではいかないだろう。夫婦には見えないかな」

廊下の途中におかれたデスクから、ホテルウーマンがほほえんでふたりに会釈した。伊沙子も笑って返す。

「無理ね。せいぜい中小企業の社長と部下の不倫カップルくらいじゃない」

暗い鏡の奥からふたりの男女の姿が近づいてきた。左右はこのホテル自慢の書庫である。男はややくたびれているが、同世代と比較したら若々しい四十九歳、女は大人びたなりたての三十四歳だった。俊隆はレストランにはいるまえにいった。

「伊沙子は、今度まとめて五歳くらい年をとらないか」

「嫌よ。なんでそんなことしなくちゃいけないの。そうしたら、わたしだってあっという間に四十じゃない」

俊隆はそっぽをむいていった。

「四十じゃなく、三十九だろう。それだって、おれから見たら、ぜんぜん若いぞ」

黒いスーツを着たフロア係がうなずいていった。

「いらっしゃいませ」

俊隆はもの馴れた様子でいった。

「予約した藤木です」

案内されたのは壁際にいくつか仕切られた個室風の造りのテーブルだった。俊隆がグラスのシャンパンでいいかといったので、伊沙子はうなずいた。ふたりとも体重が気になる年齢だったが、しっかりとステーキがメインのコースを選んだ。乾杯をすませると、夫はジャケットのポケットに手をいれた。うれしそうにいう。

「伊沙子、誕生日おめでとう。今年もひとつだけおれに追いついたな」

背の高いグラスから、ひと口すすった。シャンパンがちくちくとくすぐったくのどを刺すのは、この人のせいだろうか。よく見ると目じりのしわが深くなって、目のしたにもたるみがある。どちらも伊沙子の好きな部分だった。

俊隆がテーブルにのせた手を開いた。

「ほい、誕生日のプレゼント。このまえほしいといってた時計だ」

それはブレスレットのように細いブルガリの腕時計だった。ふたりでデパートでガラスケースをのぞき、ため息をついた品である。

「えー、こんなに高いのいいの。ありがとう」

伊沙子はおおきなてのひらから、きれいな魚のような腕時計をつまんだ。

「でも、これ、あのときの時計じゃないよね」

俊隆はシャンパンのグラス越しに笑ってみせる。

「どうせ何十万もだすなら、同じだからな。ちょいと無理していいほうを買った」

伊沙子は手のなかの時計を確かめた。あのときの時計は形は同じだが、ステンレス製だった。それがピンクゴールドとステンレスのコンビになっている。ブレスレットの金色の角にダウンライトが落ちて、すべるように光った。

「うれしい。ありがとう」

届いたサラダをつつきながら、伊沙子はいった。

「でも、うちももう結婚して七年目だよね。あなたはどうしていつまでも、こんなに高価なプレゼントをくれるの。このニューヨークグリルだって」

周囲を見わたしてみる。七割ほど埋まった席の半分は外国人で、高さ五メートルほどある格子の窓のむこうには新宿の夜景が広がっていた。窓の下側の三分の一を占める街の明かりは、照明を落としたレストランのなかよりずっとまぶしかった。

「会社だって今は笑いがとまらないっていうほどじゃないんでしょう」

自分がフリーランスのライターとして苦労しているせいか、伊沙子には妙に心配性なところがあった。俊隆はルッコラとラディシュをまとめてフォークに刺して、口に運んだ。

「なんで西洋の人間は、こうして葉っぱだけまとめてくうのかなあ。まあ、今は辛抱の時期だ。どこの代理店も予算は絞られてるからな。だけどいくら辛抱するといっても、心まで縮こんでしまったら、おしまいだ。おれは最近みんな、不景気だ、金がないといいすぎるような気がする」

伊沙子は魅せられたように腕時計を見つめていた。

「でも、不景気なのは事実だよね」

「そうだけどな。バブルのころは金がなくても、みんなある振りをしていたよ。おれたちはみんな人のいうのと同じことをいって安心してるだけなんじゃないかな。まあ、そんなプレゼントを買うくらいで、おれがやる気をだして働く気になるなら、安いもんじゃないか」

伊沙子は笑った。この人には昔からそういうところがあるのだ。

「わたしがごほうびをもらって、がんばるんじゃなくて、あなたががんばるんだ」

俊隆はにやりとして、持論を展開した。

「もちろんそうだ。プレゼントは贈る側の楽しみだ。金を払ったうえに、他人にくれてやる。キリストみたいなもんだな。無私になるというか、自分にはマイナスしか残らないのが、なんだか愉快なんだ」

伊沙子はテーブルに身をのりだした。声をひそめていう。

「ねえ、今度のあなたの誕生日、なんにする」

俊隆はおおげさに顔のまえで手を振った。

「思いださせるなよ。今夜はその話はなしにしてくれ」

伊沙子はいじわるな子どものような笑顔になった。

「そうだよね、だってあと二週間で五十歳だもんね」

伊沙子の誕生日が十一月五日で、俊隆が十九日。ふたりの誕生日は二週間違いで、同じさそり座だった。

「あのなあ、この店のチェック、そっちにまわそうか」

ふたりの笑い声は高い天井にのぼって、周囲の澄ましたざわめきのなかに溶けていった。


心地よく酔って、伊沙子と俊隆はホテルをでた。車寄せで先ほどと同じドアマンが、タクシーを用意しようかとたずねてくる。頼もうとした夫をとめて、伊沙子はいった。

「車はいらないの。ちょっと酔い覚ましに散歩するから」

伊沙子は俊隆の腕を抱えて、なだらかなスロープをくだった。脇をタクシーが抜けると、乾いた風が髪を乱した。冬まではまだ間がある、どこかやわらかな風だ。

「ここからなら、駅まで近いから、歩こう。それにすぐ車にのっちゃうより、ふたりだけでこうやって歩きたいの」

伊沙子は並ぶとほとんど身長の変わらない俊隆の腕を、ぎゅっと胸に抱き締めた。小田急線の参宮橋駅までは一キロとなかった。みっつ先の東北沢に住まいはある。俊隆はいった。

「結婚するまえはそうやってひじに胸があたると、どきどきしたもんだよな」

伊沙子は横目で酔っ払った夫の顔を見た。

「今はもうどきどきしないの」

「まあ、ぜんぜんしないこともないけど、おれも年だからな」

「やだなあ、おじさんって」

伊沙子は心にもないことをいって、年の離れた夫をからかった。俊隆は急にまじめな様子でいった。

「おれたちが知りあったとき、伊沙子には婚約者がいただろ。あの若い男と結婚してたら、今よりもっと幸せだったかなあ」

伊沙子と俊隆が仕事先で初めて会ったのは、八年まえのことだった。当時、伊沙子にはふたつうえの婚約者、小谷野《こやの》がいたのである。俊隆は四十一で独身だった。考えてみると、あのころも今も、十六歳の年の差は変わらないのだ。伊沙子はふくみ笑いをしていった。

「わたしが夜型なのを知っていても、あなたは毎朝平気で電話してきたよね。会社が始まる朝十時の十分まえ。誰も社員がきていないから、退屈しのぎだって嘘ついて」

へへっと間もなく五十になる男が笑った。

「もう他人《ひと》のものになるんだって、わかっていたけど、どうしてもそれきりで終わりにしたくなくてね。つきあってもいないのに、迷惑だったか」

伊沙子はちいさく首を横に振った。低い雲に新都心の街明かりが映って、夜空に雲の白さが鮮やかだった。

「もう覚えていないな」

今度は俊隆が伊沙子の顔を盗み見る番だった。

「初めてセックスしたときのことも？」

伊沙子はなにもこたえずに夫の腕を強く胸に抱いた。あのときは、あまりの快感と婚約者へのうしろめたさで、終わった瞬間に伊沙子はおお泣きしたのだ。俊隆とつきあうようになってからは、さらにたいへんだった。

婚約者の家に頭をさげにいき、結婚式の予定をすべてキャンセルした。今では仲よしになっているが、俊隆が伊沙子の実家を初めて訪れたときには、玄関に足をいれることさえ両親は許さなかった。遊び人の広告プロダクション社長で、十六歳も年齢が離れているのでは、無理もなかった。

障害のすべてを、伊沙子と俊隆は実際の暮らしの形を日々周囲に見せていくことで、のり越えたのだった。女遊びが派手だときいていた俊隆は、結婚してから怪しい素振りさえ見せたことはなかった。伊沙子はいった。

「あなたは昔のわたしみたいな若い女の子には興味はないの」

夫は時間をおかずにいった。

「昔の伊沙子になら興味はあるけど、もう若い女なんて面倒で。ベッドでもいろいろ教えてやらなきゃいけないからな」

恥ずかしがるとすぐにしもネタに走るのは、中年男性の癖なのだろうか。伊沙子はちらりと左手を見た。暗がりのなか、あたたかな金色の光りが手首を巻いている。今夜はすこしサービスをしてあげようかな。伊沙子は肉づきのよくなった夫の腕で乳房の先をへこませた。

その夜は、いつもの倍の時間をかけて、ひさしぶりに抱きあった。伊沙子は最初に俊隆とすごした夜を思いだした。なぜ、あまりにいいと、悪いことをしているような気になるのだろうか。もう結婚もしている。両親からも友人たちからも祝福されている。それなのに、泣きたくなるのだ。伊沙子はその夜、疲れ切って寝息を立てる夫の横で、すこしだけ涙を流した。きっと年をもうひとつ重ねたので、涙もろくなっているのだろう。

秋の七曜はまたたくまにすぎた。伊沙子にはまるで気にならないのだが、俊隆にはこの二週間は特別なものであるらしい。十六歳の年の差が、一歳分だけ縮まって十五歳差になる。それだけのことが、夫にはうれしくてしかたないらしい。この二週間は毎年、夫は妙にやさしくなったし、若々しくもなるのだった。

人間にはいくつになっても変わらないところがあるものだ。いきいきした夫の顔つきを見て、伊沙子はまだ会うまえの俊隆の青年時代を想像してみた。きっと今と同じだったのだろうが、もうすこし明るかったのかもしれない。年をとると誰でも、硬くて渋いものが好きになるのだ。

谷琴美が泊まりにやってきたのは、誕生日の夜のメールから八日後のことだった。あらかじめ連絡を受けていた伊沙子は、客用の布団を日にあてておいた。玄関先で出迎えたふたりに琴美は、ワインとチーズのはいった紙袋をさしだした。

「今夜はごめんなさい。ここのうちって、夫婦仲がいいから居心地がいいのよね」

伊沙子は去年琴美の家に遊びにいったときのことを思いだした。琴美と夫の克広《かつひろ》は、来客がいようがおかまいなしにおおきな声でいさかいをしていた。あのときでさえ、もう表面をとりつくろう余裕はなかったのだ。あれから一年と三カ月。考えてみたら、よくもったものである。

琴美をリビングにとおして、冷やしておいた白ワインの栓を開けた。俊隆がそれぞれのグラスに注ぐと、琴美がぽつりといった。

「乾杯のまえに、すませておきましょう」

ショルダーバッグから折りたたんだ書類をだした。センターテーブルにていねいに広げる。離婚届はティッシュのように薄い紙切れだった。これを一枚役所の窓口に提出するだけで、婚姻という関係は朝霧のようにきれいに消えてなくなるのだ。琴美はペンケースから万年筆を抜いた。

「ごめんなさい。いろいろな友達に頼んだんだけど、みんな嫌がって」

俊隆に先に万年筆をわたした。証人の二名分の欄は空っぽのままだった。俊隆はいった。

「こんなものに尻ごみするなんてナンセンスだ。これはただの法律書類だよな。実際の結婚はとうに終わっていて、これは琴美ちゃんが新しく出発するためのやり直し届みたいなもんだろ。おれはよろこんでサインするさ。これから幸せにな」

そういって俊隆は空欄をはみだすくらいのおおきさで、藤木俊隆と書いた。生年月日、住所、本籍と順番に記入していく。万年筆は夫から妻の手にまわされた。伊沙子もいう。

「あなたもたまにはいいこというね。いつもしもネタばっかりなんだけど。わたしも賛成だな。再スタートはいっしょにのんびりいこうね」

伊沙子も藤木伊沙子と名前を書いた。しっかりと最後の文字を跳ねとめて、伊沙子は万年筆と離婚届を返した。

「どうもありがとう。つぎに結婚するときには、ふたりに仲人頼んじゃおうかな」

一瞬琴美の目に浮かんだ涙は、笑顔とともにさっと乾いた。それから三人はそれぞれの未来のために乾杯した。琴美にはひとりの、伊沙子と俊隆にはふたりいっしょの未来がある。伊沙子はそれだけのことが、しみじみとうれしかった。


その夜のことである。明かりを消したベッドで寝つけずに、伊沙子は天井の白い壁紙を見つめていた。なぜどこのマンションも、この白い壁紙は変わらないのだろう。いつかリフォームすることになったら、絶対にこれは張り替えよう。伊沙子はいった。

「起きてる？」

目を閉じたまま俊隆がこたえた。

「ああ」

「さっきね、琴美には悪いけど、うちはふたりがうまくいっていてよかったなって思った」

「おれも」

夫がとなりのベッドで身体を起こした。ヘッドボードにもたれて、ぼんやりしている。無防備な顔を見て俊隆も年をとったんだなあと、伊沙子は思った。それは別に悪いことではない。夫への気もちはまったく変わらないし、魅力だってある。ただこの人は年をとったのだ。それは自分も手を重ねるだけでわかることである。二十代のころのような張りは手の甲にさえなくなっていた。そのとき初めて伊沙子は、年の差がひとつだけ縮む二週間を特別に思う俊隆の気もちがわかるような気がした。

「わたしと結婚するとき、うちの親に対してひどくすまないと感じたの」

おおきめのチェックのパジャマを着た俊隆は、くたびれた縫いぐるみのクマのようだった。

「そうだな。でも、おれが一番すまないなと思ったのは、伊沙子にだ」

そんなことを夫からきくのは、初めてだった。俊隆は両手を頭のうしろで組んで、伊沙子と同じ天井を見つめた。

「だって女の二十代といえば、花の盛りだろう。おれはもう四十すぎで、このまま一生結婚しなくてもいいかと、さじを投げていた。どんどん年をとって、衰えていくしな。それなりに一生懸命にはやってるが、伊沙子にはすまない気がしてな」

伊沙子の閉じた目のなかが熱くなってきた。そうなのだ。最後に婚約者と会ったときにいわれた言葉を急に思いだす。彼は若くて、大手メーカーの社員で、海外勤務の経験だってあった。だが、別れを切りだすと、俊隆と自分をくらべてこういったのだ。

（あんな年寄りとつきあって、どうするんだ。今は小金があってもしょせん零細企業だぞ。年だってぼくより十四もうえだ。冷静になって長い目で見れば、ぼくといっしょになるほうが得じゃないか）

彼はそのあと別な女性と結婚したという。その人といっしょになって、わたしのときよりお得になったらいいなと伊沙子は思った。だって、それが彼の価値観なのだ。わたしはたとえ損でも、わたしのことをいつも気にかけてくれる人といっしょにいたい。むずかしいことなど、なにもなかった。昔から伊沙子は単純な計算もできないタイプなのだ。

「なあ、そっちのベッドにいってもいいか」

天井をむいたまま、俊隆が恥ずかしそうに声をかけてきた。

「うん。いいよ。今夜は琴美がいるから、わたしも声を抑えるようにがんばる」

「なにいってんだ。ちょっと抱きあって、寝たいだけだ」

伊沙子は空気のように軽い羽毛のうわがけをはねて、夫のための場所を空けた。腕を広げて待つ。来週の彼の誕生日には、なにを贈ろうか。あの腕時計のお返しだから、今回はすこしがんばってみよう。

あたたかい重みが身体にかかって、胸から息がこぼれ、声になって漏れた。

「静かに」

「いいの。琴美にきかせちゃおう。すぐ再婚したい気分になるかもしれないから」

パジャマのしたに手をいれて、夫のやわらかな腹をなでた。

「わたし、あなたが十六うえでも二十うえでも、きっと好きになっていたと思う」

「なんだ、突然。来年はダイヤいりの腕時計がほしいのか」

伊沙子は笑ってしたから抱きつき、鎖骨と鎖骨のあいだのなめらかな肌に、いつまでも消えないように思い切りキスマークを残した。

スターティング・オーバー

流行《はやり》の個室ダイニングは、生成《きな》りのカーテンと竹を細く裂いて横につないだルーバーで目隠しされていた。うっすらとむこうを透かすカーテンに、影絵のように淡く人が動いている。照明は暗く、アジアのはずれのリゾート地にでもやってきたようだった。足りないのは夜のジャングルから響く獣たちの鳴き声とねばりつくような甘い空気だった。もっとも東京のまんなかでは、それを望むのは贅沢すぎるだろう。

森谷真弓《もりやまゆみ》はとなりに座る友人に目をやった。男っぽいあっさりした性格なのだが、奥《おく》山美砂子《やまみさこ》は同性の真弓が見てもどきりとするようなグラマーな体形をしている。三十をすぎても、ちっとも衰えていなかった。

いったいいくつまでを、若いというのだろう。無理やり引き延ばされた青春に宙づりにされて、いつまでも自分のことを大人とは思えないでいる。真弓は手を伸ばせば届きそうな壁にかこまれた個室をぼんやりと見まわした。美砂子はひとりでビールをのんでいう。

「こういうところはやっぱり男ときたいよね」

籐《とう》のひとり掛けの小振りなソファが四脚並び、中央にはバリ島の民家の扉をそのまま天板につかったテーブルがおいてあった。木のひび割れには誰かが落としたピスタチオの殻が詰まっている。カーテンが割れて、男が顔をのぞかせた。

「遅くなって、ごめん」

戸島功成《とじまこうせい》だった。裏に毛皮を張ったジージャンとダメージ加工のジーンズ。功成は三十をすぎても、まだ学生のような格好をしている。美砂子がいった。

「遅いよ、ていうより、なんであんたがここにいるの」

三人は一時期同じ番組制作会社で働いていたことがあった。低賃金、長時間労働、おまけに人間性を奪われたアシスタントディレクターという名の奴隷階級である。Ｐタイルのフロアで寝袋にくるまり、いっしょに仮眠をとった明け方は数知れない。その会社はすでに潰れてしまって、三人はそれぞれ別な制作会社に散っていた。

「まあ、いいじゃない。それより、今日はなにかおめでたいことがある新年会なんだろう。おねえさん、おれも生ビールね」

上着を脱ぎ、功成は薄手のトレーナー一枚になった。胸には「マヨナマ！」とチューブから絞りだしたマヨネーズのロゴがはいっている。真弓はいった。

「それ、わたしたちがつくってたやつ」

功成は自分の胸をさしていう。

「そう、唯一おれたちが好きなようにやれた番組」

美砂子もなつかしそうに目を細めた。

「マヨナマ！に乾杯しよう。もうブリッジさんは手が届かない人になっちゃったけど」

そういうと、なにかまずいことをいったように真弓をうわ目づかいに見た。真弓はにこりと笑った。

「もうだいじょうぶ。ぜんぜんなんとも思ってないから」

マヨナマ！は若手のコメディアンを集めた台本なしのトークショーだった。真夜中の生放送でマヨナマ。司会をしていたブリッジ細井は、その番組で人気を集め、すでにゴールデンタイムに自分の名前のついた枠をもつまでになっている。真弓と細井は二年ほどつきあっていた。一時は半同棲に近い暮らしをしていたこともある。功成はとりなすようにいった。

「まあ、女を三十年やってりゃ、いろいろあるさ。じゃあ、美砂子、乾杯の音頭をとってくれよ」

美砂子は黒のセーターの胸をつきだすように、ビアジョッキをあげた。

「まったく功成は困るといつもわたしに押しつけるんだから。座もちの悪いディレクターは出世しないよ。じゃあ、新年明けましておめでとうございます。それから、真弓、一年間の男断ち、よくやった。わが友ながら、えらいもんだよ。乾杯」

功成と真弓がカンパイと続けて、新年会兼同窓会は始まった。テーブルにはナシゴレンにヒラメのカルパッチョ、グリーンカレーなど無国籍エスニック料理が並んでいた。ドラムスティックほどある長い箸でシャンツァイのサラダを口におしこんで功成がいった。

「でもさ、なんで真弓は男断ちしようなんて思ったんだ」

美砂子もビールをひと息にのんでいった。

「そうだよ。わたしだったら、一年も男なしじゃ身体がもたない。真弓はちいさくて細くて、抱きしめると折れそうな感じでしょう。昔からわたしはそういうタイプあこがれだったんだけどな。真弓は妙に男に好かれるしさ」

ちらりと美砂子はななめまえに座る男を見た。功成は気づいているくせに、知らん顔をしている。真弓はぼんやりと幸福な気もちで、一年まえのことを思いだした。ちいさな声でいう。

「その理由、ほんとうに知りたいの？　お正月から暗い話になっちゃうんだけど」

功成はテーブルに身をのりだした。

「絶対ききたい。いいから、話してみろよ。おれがこの広い胸で全部受けとめてやるからさ」

こぶしでトレーナーの胸をたたく男を横目で見て、美砂子がいった。

「ばかじゃないの。でも、一年も続いた決意なんだから、わたしも興味があるな。真弓、ここで全部吐いて楽になっちゃいな」

真弓は七年越しの友人ふたりの顔を交互に見て、ゆっくりと話し始めた。視線はテーブルについたビアジョッキの濡れた輪に落としている。

「わたしにはいつも相手がいたのは、ふたりとも知ってるよね」

功成は熱心に、美砂子は肩をすくめながらうなずいてみせた。真弓はかまわずに続ける。

「初めて男の人とつきあったのは、十六歳のときだった。それから十四年間、男の人が切れたことがなかった。一番あいだが空いたときでも六日間。一週間以上相手がいないことはなかったんだ」

功成は口笛を吹いて、美砂子に片方の眉をあげてみせた。

「そっちはどうなんだ」

うるさいといって、美砂子は丸めた手ふきを投げる。真弓はゆっくりと首を横に振った。

「うらやましがることなんてないよ。ぜんぜんいいことなんかじゃなかったから。それは最初のころはわたしはもてるんだ。男なんてみんなその気になれば簡単だと思っていた。でもね、去年の一月に気がついたの。ちょうど三十歳になったんだけど、そのときよく考えてみた。ほんとうにわたしはもてていたんだろうか。ほんとうに好きで男の人たちとつきあっていたんだろうか。ちょうど細井さんと別れたばかりだったから、考えるにはいいチャンスだった」

「なるほどな」

功成はそういうとピーナッツクリームが格子状にかかったヒラメの薄造りを、まとめて五枚ほど箸の先にからめ、ひと口でかたづけた。真弓は泡の消えたビールのうわ澄みをすすっていった。

「昔のわたしはクリスマスとかゴールデンウィークとか夏休みとか、なにかイベントがあるときに相手がいないのは、さびしくて耐えられなかった。そういうときの直前に彼がいないとあわてて新しい男の人を探してた。誰でもいいから、そばにいてくれさえすればいい。もう必死なの」

目を落としたまま、ひとりで笑ってみせた。功成はじっと真弓の顔を見つめている。

「そういうのは、ほんとうはもてるなんていわないんだよね。アルコールやニコチンやブランドものなんかと同じで、ただ男の人に依存してるだけ。気がつけば簡単なことなんだけど、十五年近く自分ではまったくわからなかった。人間てほんとに他人《ひと》の恋愛はよくわかるのに、自分のことはわからないよね」

美砂子はカーテンのむこうをとおりすぎる影にビールのお代わりをしていった。

「そういうのには、なにか理由があったの」

真弓は女友達の顔を正面から見た。自分でも目に力がはいるのがわかった。昔男たちを口説くときにつかった目だ。真弓はなにかを思いだしたように笑い、視線をさげた。

「よくわからない。うちのおとうさんが、けっこう無口で怖いタイプで、仕事がいそがしくてあまり家にいなかったというのはあるかもしれない。わたし、ちょっとファザコンのところがあるから。でも、二時間ドラマみたいに性的虐待とか、家庭内暴力とか、そんなのはなかったから。うちは波乱万丈なんかじゃなくて、ごく普通の家族だったと思うんだ。なんでなんだろうなあ」

真弓はビールで唇だけ湿らせた。功成はつぎつぎと料理をかたづけ、美砂子は新しいジョッキをかたむけて、つぎの言葉を待っていた。気心の知れた仲なので、無理に座を盛りあげる必要もなかった。外は一月の夜である。

「細井さんと別れて、また新しい人を探そうかと思っていたときに、ぱちんってスイッチがはいるみたいにわかったんだ。二十代の十年は、男の人にもたれかかって、振りまわされて生きてきたなあ。だからつぎの十年は、自分を変えるんだって。それで、この一年間はどんなに素敵な人に出会ってもつきあうのはやめよう、ひとりで自分のことを考えてみようって決めた。それが去年のお正月にしたわたしの年頭の決心」

美砂子が驚いた顔で、真弓を見ていた。功成は目をそらして、竹で編んだルーバーを眺めている。

「ねえ、決意がぐらついたりすることはなかったの。だって、ほら一年て長いじゃない。いい男だってたくさんいるし」

真弓はほんのりと笑った。高い天井からさがる和紙のランプシェードからやわらかな光りが落ちてくる。

「うん。今の会社は休みがちゃんととれるから、最初の週末は長かった。二日間ひとりでいるのが、あんなにきついなんて思わなかった。掃除とか買いものとか、用事ってすぐにすんじゃうし。誰でもいいから、遊んでくれないかなあって思った」

功成が口をはさむ。

「おれに電話すればいいのに」

真弓は功成に余裕の笑顔を見せた。

「でもね、厳しいのは最初の一カ月だったかな。週を追うごとにひとりでいるのが、苦痛ではなくなった。春になるころには、日曜日はどうしようなんて考えなくなったから。習慣って怖いね。デートするのも、ひとりでいるのも、案外すぐに慣れちゃうものなんだ」

「ふーん、男なしではだめだめだった真弓がねえ」

テーブルのうえで腕を組んで、美砂子は古い女友達を見ていた。真弓は照れたように続けた。

「わたしなんかがいうのもおかしいけど、逆にね、みんなが恋することやカレンダーにどんなに振りまわされてるか、奇妙に感じたよ。だってイベントのあるたびに自動的に恋愛するなんて、わたしたちはベルトコンベアじゃないよね」

美砂子は笑いながらつっこんだ。

「かっこいいこといっちゃって。でも、真弓だって十年以上も恋愛工場で必死に働いていたんでしょう」

「そう。それで三十歳にして、ようやく休暇がとれたんだ。恋をしなくちゃいけない。誰か男の人といっしょじゃないと、女性として自分は完全じゃない。そういう考えから自由になると、こんなに空気って軽かったんだって思ったよ」

美砂子は笑ってうなずいた。悲しくはなかったのに、美砂子にうなずきかけられて、真弓はなぜか涙ぐんでしまった。

「ひとりでいるのはわるくなかった。どうしてもさびしいときには、美砂子に遊んでもらったし。この一年は長いリハビリみたいだったな。ゆっくりと傷を治して、いつか、誰かに教えられた方法ではないやりかたで、男の人を好きになるための」

功成が低い声でいった。

「それで、もう準備はできたのか」

真弓は子どものように首を振ってみせる。

「そんなことはぜんぜんわからないよ。いまだって不安はあるし、また同じことをやるんじゃないかなって思う。でも、すくなくとも一年まえよりわたしは成長してる。週末の二日間、ひとりでいるのに耐えられるようになったんだもの。わたしにしたら、それぐらいでも大進歩なんだ」

美砂子は二杯目のジョッキをあけるとさばさばという。

「わたしも真弓にはけっこう助けられた。ほら、わたしの場合、むこうは家族もちじゃない」

功成も真弓もあごの先だけでうなずいた。同じ会社にいたときの上司とつきあって、美砂子はもう六年になる。

「どうせ家族もちの男は、イベントはみんな子どもと奥さんのためにあげちゃうから。クリスマスも正月も、わたしのスケジュールはいれ放題なんだよね。去年一年は真弓とつるんでることが多かったからさ。そんなに厳しいことはなかった。ねえ、功成、そんなにたべてばかりいないで、あんたは女のほうはどうなのさ」

功成は箸をおいて、ビールで口をすすいだ。背を伸ばす。真弓は見慣れた男友達が笑うと目じりに深いしわができることに初めて気づいた。

「いや、おれはさ、仕事して、くって、寝て、遊んでばっかりで、女っ気はあまりないんだ。おれのまわりの三十男なんて、ほとんどみんなそんな感じだな。自由だけど、女も貯金もないまま気がついたら、二十代は終わっていた。いつか結婚するかもしれないけど、別にしなくてもいいかなって感じだ。うちの親はうるさいけど。ちょっとトイレ」

功成は言葉の途中でソファを立つと、生成りのカーテンを抜けてしまった。狭い個室に残された真弓と美砂子は目をあわせた。真弓はいう。

「いくつになっても、功成さんて変わらないね」

美砂子はエビせんべいを甘酸っぱいディップに浸している。

「いいやつだけど、あんまり出世しそうにないね。要領がよくないし、いざというときに口べたでさ。真弓、あんた知ってた」

「なにを」

「功成ってさ、わたしたちがいっしょに働いていたころから、真弓に気があったんだよ。今日だって、わたしがちょっと真弓とのむって話したら、くいついてきたもの。案外まだその気なんじゃないかな」

「ぜんぜん気づかなかった。でも、偉くはならないかもしれないけど、功成さんとつきあう女の人はしあわせになれる気がする」

美砂子はぐいぐいと新しいジョッキからビールを流しこんだ。

「そこなんだよね。なんで女って、この人といればしあわせになれるって男とは、つきあう気にならないのかなあ。功成はさ、わるいやつじゃないよ。でも、エッチはヘタそうだよね」

真弓は誰も座っていないひとり掛けのソファを見ていた。人の身体の形にあたたかな空気が残っているような気がしたのだ。

「そうかもしれない。だけど、エッチはあまりうまくなくても、功成さんはそのあとでずっと手をにぎってくれるタイプだと思う」

美砂子はとなりに座る友達を改めて見た。真弓はおとなしそうでいて、ときどき大胆な発言をすることがあった。

「真弓もいうね。確かにそうかも。彼氏の愚痴をひと晩きいてくれた男って、考えたら功成くらいのもんだったな。そのあいだ、わたしの胸のほうはちらりとも見ないしさ。けっこういいやつなのかもしれないね。まあ、わたしは絶対エッチはしたくないタイプだけど」

カーテンのむこうに人影が揺れて、功成がもどってきた。腰をおろしながらいう。

「なんの話だよ。また誰かのわるい噂か」

真弓と美砂子はそろって笑い声をはじけさせた。功成はいう。

「この店って、カップルがロマンチックにディナーをとるためにあるんだろ。この部屋くらいだよ。こんなに健康的なのはさ。トイレにいく途中で見たけど、ほかの部屋はけっこう濃いぞ」

「えー、ほんと。じゃあ、見にいってこようかな。わたしがもどってきたら、つぎのお店にいこうよ」

おうと功成がひと声吠えて、いれ代わりに美砂子がでていった。功成は間がもたなくなったようだ。残すともったいないからと口のなかでいうと、大皿の料理をつぎつぎとかたづけ始めた。真弓はそんな功成を黙って見ているだけだった。美砂子がもどってくるまでのあいだ、自分の唇にちいさな笑みが浮かんでいることにも気づかなかった。

宮益坂《みやますざか》の路上にでたときには、とうに真夜中をまわっていた。空気はフリーザーのように冷えこんでいたが、新年のせいか汚れなく澄んでいた。渋谷の街は昼間とさして変わらない人出で、厚着をした若い男女が口から煙突のように白い息を吐いて、楽しそうに歩いていた。功成が足踏みしながらいった。

「つぎどうする」

美砂子がひとりで坂をくだりながら、背中でいった。

「せっかくだから、デュークにいこうよ。もう何年も顔だしてないし」

バーは原宿だった。倒産してしまった制作会社のはいっていたビルの地下にあり、一時期は毎晩のようにのみにいっていたのだ。深夜の食事は安くて腹にたまるものばかり。それでものみ代が払えなくて、翌月まわしにしてもらったことがある。

「タクシーとめるか」

美砂子は振りむかずにいった。

「いいよ。酔い醒ましに歩きたい。どうせ十分もかからないし」

電車のとまった線路が左手に暗い壁のように続いていた。宮下公園をすぎても、美砂子の足はとまることがなかった。真弓と功成をおいてきぼりにするように、街灯ひとつ先を肩をいからせ歩いていく。功成がいった。

「あいつ、どうしたんだろうな。なんか、おれたちに気でもつかってんのかな」

真弓は口に手をそえて叫んだ。

「美砂子、なにかあったの」

白い息が街の灯ににじんできれいだった。確か去年の一月にもこんな夜があった気がした。一年間ひとりで歩いてみようと決めたあの夜だ。美砂子は真弓の呼びかけにこたえることもなく、広い道路にかかった歩道橋をのぼっていく。

「なんだよ、あいつ」

功成は不思議そうにいったが、真弓は心配になって走り始めた。功成も真弓の揺れる白いマフラーの先を追った。白い毛糸の先は暗い歩道のうえで、予測不能の動きを見せる。真弓と功成が階段の踊り場までのぼったとき、歩道橋の途中で美砂子が叫んだ。

「祐二《ゆうじ》のバカヤロー、もうお別れだー」

美砂子はおおきな腕の振りでなにかを投げた。きらきらと光りながらそれは飛んで、硬いものの割れる乾いた音を立てた。携帯電話のようだった。真弓は女友達のとなりに立った。美砂子は肩で荒く息をして、原宿上空の明るい夜空をにらんでいた。涙が胸の斜面を転がっていく。

追いついた功成はなにもできなかった。歩道橋の反対側の手すりにもたれて、泣いている背中を見つめるだけだ。美砂子が息を整えていった。

「真弓がさっきいってたよね。ほんとうに好きでつきあっていたんだろうか。依存していただけじゃないかって。さっきあの店のトイレで鏡を見ていたら、わたし急におかしくなった。鍵をかけたトイレのなかで、涙がでるまで笑ったよ。わたしはこの何年か、ずっと待っていた気がする」

功成がぽつりといった。

「なにを」

「きっかけ。祐二と別れて、泥沼から足を洗うきっかけだよ。こんな関係を続けていても、どこにもいけないし、誰もしあわせにならない。それはずっとまえからわかっていたんだ。むこうにはわたしとつきあってるあいだに、二番目の子どもができたしさ。笑いながらきいてたけど、真弓の言葉はずしんと胸にきたよ」

真弓はようやく友人の肩に指先をおくことができた。その指にふれて、美砂子はいった。

「もう明日からは、祐二と連絡はとらない。会うこともない。全部きれいになにもなし。わたしは真弓みたいにつよくないから、一年も男なしなんて耐えられないけど、春がくるまでは、男とつきあうのはやめておく。今晩ここで、あんたたちに約束するよ。守れなかったら、どんなに高い酒だっておごるから」

美砂子はそれだけいうと、涙をぬぐって背をまっすぐに伸ばした。

「いこう、デュークで気分直しだ」

「待ってくれ」

功成が歩道橋の反対側からやってきた。新年の夜空にむかって、美砂子を中心に三人が一列に並ぶ。いつかくる夜明けを必死に待っているようだった。功成はかすれた声でいった。

「おれもちょっとだけ話をしておく。今日は女ふたりにいいとこ、全部もっていかれたからな」

功成はちらりと美砂子越しに真弓のほうを見た。

「もう六年くらいまえになるけど、真弓は覚えてるかな。いまつきあってる男と別れて、ほかにいいやつが見つからなかったら、おれとつきあってみろっていったの。場所はこれからいくデュークなんだけど」

真弓はちいさくうなずいた。

「でも、あのとき功成さんは酔っていたから」

美砂子は泣いているのもかまわずに、功成に顔をむけた。

「あんた、またべろべろに酔っ払って、そんな大事なこといったんでしょ」

「あたり。しょうがないだろ、おれ、女には度胸ないんだから。美砂子みたいに真夜中に男の名前を叫んで、携帯ぶっ壊すほど野蛮じゃないんだよ」

三人の笑い声が三本の白い柱になってそろった。夜風が空に息をさらっていく。

「それでさ、おれはそのとき、もうひとつ大切なこといったんだけど、そいつは覚えてないか」

真弓は首を横に振った。手すりにおいた手がかじかむようなのに、芯に不思議なあたたかさがあった。一月の夜中でも、なぜかすこしも寒さを感じなかった。

「おれはちゃんと覚えてる。もし三十になって、おたがい誰も相手がいなかったら、試しにいっしょになってみるかって、おれはいった」

美砂子は肩をすくめてみせた。

「ちょっとかわいい若い子を見つけると、たいていの男はそんなことをいうんだよ」

「おまえはうるさいの」

功成は美砂子と真弓のすきまに割りこんできた。

「おれの気もちはあのころと変わってない。さっきの話をきいた限りじゃ、急に真弓とどうこうするのはむずかしいかもしれない。だけど、いつか真弓が男とつきあう気になったら、おれに連絡をくれないか。おれだっていっしょにリハビリをするくらいのことはできるから。バカだっていわれそうだけど、おれも三十歳になって、初めて大人になったなあって思うんだ」

美砂子が男のむこうから、涙目で真弓にうなずきかけた。真弓は全身でつぎの言葉を待った。功成の声は長いつきあいでもきいたことがなかったほど真剣だった。

「おれはたいしていい男じゃない。金もそんなにないし、そうは出世しないかもしれない。細井さんみたいにきらめく才能なんてないんだ。でも、真弓のことが好きだし、真弓のこれまで経験してきたすべてを受けいれて、いっしょに生きていくことができると思う。昔は真弓の相手のことを考えると、憎らしくてたまらなかった。でも、もうだいじょうぶだ。真弓は苦しいなかで、手探りでがんばって壁を越えた。おれは見ていることだけしかできなかったけど、最後まで待つことができた。だから、おれたちにはチャンスがある」

美砂子は遠ざかっていく自動車の赤いテールライトを見送りながら、いった。

「わたしにもあるのかな、チャンス」

功成は力づよく白い息を吐いた。

「もちろん、あるさ。おれたちはへろへろになりながら、なんとか三十年を生き延びたんだ。もう一度すべてを始めるチャンスは、誰にでもあるはずだ。でも、いっとくけど美砂子はおれに惚れるなよ。おれには真弓がいるから」

美砂子のまわし蹴りがジーンズの尻にあたっても、功成は笑っていた。三人は黙って歩道橋のうえに広がる同じ夜空を見つめていた。

真弓は思った。なぜ、目のまえにある簡単なことに気づくのに十年もかかってしまうのだろう。大人になった身体に、心が追いついてくるのに、なぜたっぷり十年も必要なのだろう。けれど、それがあたりまえなのかもしれない。わたしたちは甘やかされて育ち、快適さのなかで自分から目をそらすことに必死になっていた。それは誰でも同じはずだ。曲がり角のむこうから突然やってくる、今という時代に身も心も縛られて、立ち尽くしてしまうのだ。でも、気がついたときから、また始めればいい。新しい年と新しい人は、きっとやってくるだろう。功成のいうとおりチャンスはいつでもある。この夜の気もちを忘れてしまったら、繰り返し思いだせばそれでいい。

美砂子が手すりを突き放すといった。

「ここで凍死するまえに、アルコールを補給しにいこう」

また先頭に立って夜のうえにかかる細い橋を歩いていく。真弓と功成は顔を見あわせ、あとを追った。新年の街に続く階段を一歩ずつ確かめるようにおりていく。あわてることはなかった。つぎの店まではあと五分。夜明けまではたっぷりと四時間ある。

あとがき

『スローグッドバイ』に続く恋愛短篇の第二集ができました。前作十篇に、この本の十篇をあわせて二十も、短いラブストーリーを書いてしまったのです。自分でも、ちょっとびっくりです。さすがに両手の指の倍というと、ぼくのとぼしい実体験ではまかないきれるものではありません。

そこで、どこかで女性と相席するたびに、こうたずねることになりました。

「あの、今までの恋のなかで、これはおもしろいということはありませんでしたか」

そういう場合、反応は決まっています。自分にはドラマみたいな劇的な経験はない。最初は必ず否定するのです。でも、すこししゃべって、ほぐれてくると決まってこう続けます。ぜんぜん普通でつまらない話だけど、実はこんな恋をしたことがある。

ぼくは万年筆で紙ナプキンにメモをとりながら、心のなかでは考えています。その「普通」が一番おもしろいんだ。劇的な恋なんて、つまらない。普通の女性が、普通の男性に心がかたむく一瞬の動きのほうが、ぼくの小説にはずっといいのです。白く乾いていた氷の角が、やわらかに溶けだすときの心の温度が正確につかめれば、短篇のひとつくらい難なく書けるものです。ここにある十篇のうち半数以上は、そんなふうに誰かのライフストーリーを、ちょっと拝借してしあげたものなのです。

この本では三十代の恋愛がテーマでした。でも、実際に書くことができたのは、三十代前半のまだ恋愛に迷っている人たちの話でした。結婚しているカップルはふた組しかいません。小説だから、なんでも書けるように思われるけれど、ぼくにはまだ三十代後半以降の大人の恋愛について書く準備は、できていなかったのかもしれません。

それでも隔月で短い恋愛小説を書くのは、楽しい仕事でした。登場人物のちいさな心の動きを追い、生活の細部を磨き、季節の衣裳を選ぶ。そんなことが、なんだかむやみにおもしろかった。

「小説すばる」では、今後も恋愛小説を書き続ける予定です。今度はどんな設定にしようか、今ゆっくりと考えている最中。もし、どこかでぼくに会ったら、読者のあなたもとっておきの「普通の恋」の話をきかせてくださいね。

ぼくは型どおりの挨拶が割と好きなので、前回に続いて業務連絡です。「小説すばる」の栗原佳子さん、厳しい女子EYEのチェック毎回ありがとう。文芸編集部の今野加寿子さん、つぎから鉛筆の直しは全部生かすことにします。

この本があなたの手に届くまでには、「仕事だけじゃこんなたいへんなことやってられない、やっぱり本が好きだからなあ」という長い名前の複雑なシステムが介在しています。そのすべての有志に、どうもありがとう。

二〇〇三年　クリスマス・イブの午後に

石田衣良

解説

藤田香織

「衣良さま！」

今はどうなのかわかりませんが（でもたぶん、変わっていない気がします）、私が二年ほど前まで毎月原稿を書いていた女性誌の編集部で、石田衣良さんはそう呼ばれていました。もちろん、実際に石田さんを前にしては言いませんが、例えば企画会議や打ち合わせの席では、何人もの女性編集者が彼の名前に「さま」を付けていたのです。驚いたことにこれはその編集部に限ったことではなく、雑誌も会社も違う複数の編集者が同じ愛称で呼んでいるのを聞きました。

残念ながら直接耳にしたことはなく、こちらはあくまでも噂の範疇ですが、一部書店員さんの間でも、石田さんは「衣良さま」と呼ばれているらしい。さらに、私よりずっと年下のライターさんは、彼のことを「衣良っち！」と呼んでいたことも。

それを石田さん自身がどう思っているのか（それ以前に知ってるかどうかの疑問もあるけど）は定かではありませんが、芸能人を例に挙げるまでもなく、愛称で呼ばれるということは＝人気者の証。石田さんは多くの読者から支持されている＝売れっ子作家ではありますが、それとはまた少し違った意味でも、親愛と敬愛を寄せられているのです。それはいったいなぜなのか。私が推測するにポイントはふたつあります。

まずひとつ目は、石田さんがインタビューやコメント依頼をまず厭わない、という点。たぶん、みなさんも、もう何度となく新聞や雑誌やテレビで石田さんの記事や姿を見聞きされていると思いますが、あの露出度は今や作家のなかでも断然トップではないでしょうか。しかも「石田衣良」は、半ば引退状態のヒマこいた作家（失礼）ではありません。以前インタビューで聞いた話によると、「締め切りが重なって追い詰められると夢の中で話の続きを考えたりすることもある」ぐらい忙しい。にもかかわらず、新刊インタビューといった直接的な宣伝になることのみならず、「上手な嘘の吐き方を教えて下さい」とか「恋を勝ち取る秘訣を教えて下さい」（いずれも私が伺った例）といった取材にも、にこやかに対応。石田さんはサイン会もマメにされているので、実際に接したことのある書店員さんも多いはず。こうしたフットワークの軽さが愛されポイントとして有効なのは明らかです。

もうひとつは、「衣良さま！」と呼んでいるのが、私の知る限りすべて女性である、ということに理由がある気がします。石田さんはとても話し上手な方ですが、同時に素晴らしく「聞き上手」でもあるのです。わずか一時間程度の取材時においても、「〇〇さんはそんな経験あります？」「あなたはどうでした？」とその場にいる編集者や、時にはカメラマン（女性ですが）にも話を向け、彼女たちの恋の話や苦い経験を穏やかに聞きつつ、親身なアドバイスをしたり、「あぁ、それは大変だったね」と慰めたりしてくれる。もちろん、ごく短い時間ですが、世の中に聞き上手な男性が少ないのは事実で、石田さんと会った女性編集者が「衣良さま！」となるのも無理はありません。

けれど、こうしたあれこれを、石田さんが単に一〇〇％サービス精神で行っているとも、私には思えません。たくさんの場所に出かけて行き、たくさんの人に会い、たくさんの話を聞くことは、明らかに「作家・石田衣良」の血になり骨になっている。本書『1ポンドの悲しみ』も、そうしたなかから生まれた物語なのではないでしょうか。

全十話が収められた本書のテーマは「三十代（前半）の恋」。

「石田衣良の初恋愛小説」といえば、二〇〇一年刊行のボーイズクラブで一時間一万円で女性の相手を務めるバイトを始めることになった二十歳の大学生・リョウのひと夏を描いた『娼年』ですが、この作品は、文句なく「傑作！」ではあるものの（本当に大好きです。未読の人はぜひ！）、「誰もが自分の経験と照らし合わせながら読むことができる恋愛小説」とは言い難い。そうした意味においては翌年の『スローグッドバイ』が、最初の「恋愛小説集」となりましょう。〇四年に単行本が発売された本書はこの流れをくむ物語です。

三十代の恋。それは「もう若くはない恋」です。仕事の責任も、やりがいもあり、ただひたすら夢中で二十四時間、大好きな人のことを考え続けるなんて無理。自分の生活リズムや趣味も確立されて、「あなたに全部合わせるわ」なんてとても無理。結婚したら恋はできないというわけではないけれど、独身時代の自由度とはやはりずいぶん異なります。

自分の身体的魅力が劣化していくことも自覚せざるを得なくなる時期で、「恋をする」ことそのものにも、だんだん腰が重くなってしまう。「恋の魔法」が効き難くなる。でも。だからこそ、恋の大切さを痛感するころだとも思うのです。

巧いな、と思うのは、本書に描かれている恋が決してうっとり夢心地になるようなドラマティックなものではないこと。主人公たちはみな、それぞれの「譲れない日常」を生きていて、その中で恋をしています。

転職して努力の果てに希望の職種に就いたものの、自分の幸せに使う時間がないとこぼす「誰かのウエディング」の由紀。勤めているファッションブランドの関西最初の旗艦店の店長を任され神戸に異動になり、遠距離恋愛になった恋人とは月に一度しか会うことができない表題作の真帆。本を読むことが何よりすきで、〈セックスの相性は努力で改善できるが、本を読まない男を読書家にするのは無理な相談だ〉という持論をもつ「デートは本屋で」の千晶（余談ですが、この話に登場する作家は、石田さん御自身に違いありません)。

なかでも個人的に深く唸ったのが「十一月のつぼみ」の英恵の恋。花屋でパート勤めをしている三十四歳の英恵には夫と保育園に通う息子がいるのですが、自宅で働く夫は毎日忙しく、結婚記念日にプレゼントはおろか、お祝いの言葉さえかけてはくれません。〈一日にほんの数分さえ自分をちゃんと見ようとはしないかつての恋人〉である夫との暮らしに疲れ、〈自分はどんどん乾いていってしまう〉とひとりベッドで考えます。〈今の暮らしにうるおいを与えてくれるものがどこかにないのだろうか。贅沢はいわない。全身が幸せの雨に打たれなくていいのだ。(中略)しっとりと心のおもてがやわらかになるような霧のひと吹きでいい。子どもがいて普通の結婚生活を送っている女がそんなことを望むのは、それでも贅沢すぎるのだろうか〉。物語はそんな英恵が、彼女に思いを寄せる七歳年下のサラリーマン芹沢と、ゆっくりと心を通わせてゆく姿を追ってゆきます。そしてついにある日、英恵は芹沢から日曜日に公園で待っています、というカードを受け取る。それは望んでいた〝うるおいを与えてくれるもの〟以外のなにものでもなく、英恵の胸は騒ぐのですが——。

以前私はある雑誌の新刊レビューで「この話の筆のおき方が、この本全体の空気感を表しているといっても過言ではなく、だからこそ〝三十代の恋〟なんだなと実感させられた」と書いたことがあるのですが、その印象は三年経った今でもやはり変わりません。

何もかも放り出してしまえるほどもう若くはない。でもまだ、「これで終わり」でもない。三十代の恋は、「あなただけ」しか見えなかったころとは異なり、「あなたとわたし」が見えている恋、なのです。

そしてもうひとつ。私自身は職業柄もあって、面白い本を開くとつい一気読みしてしまうのですが、これから本書を読む、という方には、できることなら毎日少しずつ読み進めることをお勧めします。本書のなかの一話を読むためにかかる時間は、十五分から二十分。忙しい毎日のなかで何かの時間を削って読むよりも（それがいけないというわけではありませんが）、みなさんの日常のなかで無理なくページを開いたほうが、同じように忙しない毎日のなかで恋をする主人公の息吹をより感じることができるような気がするから。彼女たちが迷いながら、悩みながら得てゆくときめきや温もりや安らぎは、きっと読者のみなさんの毎日にもささやかな〝うるおい〟をもたらしてくれるはず。

最後に。当初「三十代の恋」をテーマにしたはずなのに、本書が「三十代前半の恋」となってしまった理由を、単行本の「あとがき」で石田さんは〈ぼくにはまだ三十代後半以降の大人の恋愛について書く準備は、できていなかったのかもしれません〉と記していましたが、その後、「聞き上手」に磨きをかけられたのか、昨年刊行された『眠れぬ真珠』では、四十五歳の女性を主人公に、まごうことなき「大人の恋」を見せてくれました。

しかも主人公の恋の相手は、十七歳年下！　本書の主人公に「きみたち、まだまだ若いな」と思われた方は、ぜひこちらも手にとって見てください。三十代とはまた違った恋の醍醐味をたっぷり満喫できること確約致します。

この作品は二〇〇四年三月、集英社より刊行されました。

集英社文庫　目録（日本文学）

安藤優子　あの娘《こ》は英語がしゃべれない！
家田荘子　その愛でいいの？
家田荘子　愛していればいいの？
家田荘子　愛は変わるの？
家田荘子　信じることからはじまる愛
井形慶子　運命をかえる言葉の力
井形慶子　英国式スピリチュアルな暮らし方
池内紀　ゲーテさん こんばんは
池内紀　作家の生きかた
池上彰　これが「週刊こどもニュース」だ
池上彰　そうだったのか！ 現代史
池澤夏樹 写真・芝田満之　カイマナヒラの家
池澤夏樹　憲法なんて知らないよ
池田理代子　ベルサイユのばら全五巻
池田理代子　オルフェウスの窓全九巻
池永陽　走るジイサン

池永陽　ひらひら
池永陽　コンビニ・ララバイ
池波正太郎　スパイ武士道
池波正太郎　幕末遊撃隊
池波正太郎　青空の街
池波正太郎　天城峠
池波正太郎・選 日本ペンクラブ編　捕物小説名作選一
池波正太郎・選 日本ペンクラブ編　捕物小説名作選二
石和鷹　レストラン喝采亭
石和鷹　いきもの抄
石川恭三　医者の目に涙
石川恭三　健康ちょっといい話
石川恭三　続・健康ちょっといい話
石川恭三　心に残る患者の話
石川恭三　医者の目に涙 ふたたび
石川恭三　定年の身じたく 生涯青春！をめざす 医師からの提案

石川恭三　35歳から考える 女の体を守る本
石川恭三　生へのアンコール
石川恭三　医者が見つめた老いを生きるということ
石川恭三　医者いらずの本
石川恭三　定年ちょっといい話 閑中忙あり
石川恭三　健康とてもいい話 見たり聞いたり試したり
石川淳　狂風記(上)(下)
石田衣良　エンジェル
石田衣良　娼《しょう》年《ねん》
石田衣良　スローグッドバイ
石田衣良　1ポンドの悲しみ
伊集院静　むかい風
伊集院静　機関車先生
伊集院静　空の画廊
泉鏡花　高《こう》野《や》聖《ひじり》
磯淵猛　紅茶 おいしくなる話

集英社文庫　目録（日本文学）

磯淵猛　紅茶のある食卓
五木寛之　風に吹かれて
五木寛之　地図のない旅
五木寛之　男が女をみつめる時
五木寛之　哀愁のパルティータ
五木寛之　燃える秋
五木寛之　凍河(上)(下)
五木寛之　奇妙な味の物語
五木寛之　星のバザール
五木寛之　こころ・と・からだ
五木寛之　雨の日には車をみがいて
五木寛之　ちいさな物みつけた
五木寛之　改訂新版 第一章 四季・奈津子
五木寛之　改訂新版 第二章 四季・波留子
五木寛之　改訂新版 第三章 四季・布由子
五木寛之　不安の力

伊藤左千夫　野菊の墓
井上篤夫　追憶マリリン・モンロー
井上荒野　森のなかのママ
井上きみどり　ニッポンの子育て
井上ひさし　化粧
井上ひさし　ある八重子物語
井上ひさし　わが人生の時刻表 自選ユーモアエッセイ1
井上ひさし　日本語は七通りの虹の色 自選ユーモアエッセイ2
井上ひさし　吾輩はなめ猫である 自選ユーモアエッセイ3
井上宏生　スパイス物語
井上夢人　あくむ
井上夢人　パワー・オフ
井上夢人　風が吹いたら桶屋がもうかる
井原美紀　リコン日記。
今邑彩　よもつひらさか
岩井志麻子　邪悪な花鳥風月

岩井志麻子　悦びの流刑地
岩井志麻子　偽《ウェイ》偽《ウェイ》満《マン》州《ジョウ》
宇江佐真理　深川恋物語
宇江佐真理　斬られ権佐
植田いつ子　布・ひと・出逢い
内田春菊　仔猫のスープ
内田康夫　浅見光彦を追え ミステリアス信州
内田康夫　浅見光彦豪華客船「飛鳥」の名推理
内田康夫　軽井沢殺人事件
内田康夫　「萩原朔太郎」の亡霊
内田康夫　北国《ほっこく》街道殺人事件
内田康夫　浅見光彦 四つの事件 名探偵と巡る旅
内田康夫　浅見光彦 新たな事件 天河・琵琶湖・善光寺紀行
内田康夫　名探偵浅見光彦のニッポン不思議《ミステリアス》紀行
内館牧子　恋愛レッスン
宇野千代　薄墨の桜

集英社文庫

1ポンドの悲《かな》しみ

2007年5月25日　第1刷
2007年6月6日　第2刷

定価はカバーに表示してあります。

著　者　石田衣良《いしだいら》

発行者　加藤　潤

発行所　株式会社 集英社
東京都千代田区一ツ橋2-5-10　〒101-8050
電話　03-3230-6095（編集）
03-3230-6393（販売）
03-3230-6080（読者係）

印　刷　凸版印刷株式会社

製　本　凸版印刷株式会社

フォーマットデザイン　アリヤマデザインストア　マークデザイン　居山浩二

ISBN978-4-08-746156-5 C0193